KB171560

모두가 빛나는
직업놀이 교실 이야기

전국 교실 속 직업놀이 실천사례집 Vol2. (2023)

모두가 빛나는 직업놀이 교실 이야기

- 전국 교실 속 직업놀이 실천사례집 Vol. 2 (2023) -

함께라서 더 반짝일 수 있는 우리의 성장 이야기

본문 속 삽화는 <전솔>선생님께서 직접 그린 그림입니다.

안녕하세요.

모든 아이의 꿈과 자존감이 자라는 《교실 속 직업놀이》의 저자, 교사 이수진입니다. [2023 교실 속 직업놀이 실천사례집]에 함께 해주신 선생님들의 노고에 먼저 감사 인사를 드립니다.

저의 첫 부임지는 저소득가정, 결손 가정 등 저마다의 어려움을 가진 아이들이 많이 있던 곳이었습니다. 힘든 환경에도 불구하고 밝은 미소를 잃지 않았던 아이들이 가진 장점을 관찰하며 자존감을 키울 수 있는 방법을 고민한 끝에 '교실 속 직업놀이'를 고안하게 되었지요. 이를 통해 쪽방촌에 살며 위축되어 있던 아이가 '작가'가 되어 자신이 좋아하는 미술 활동을 통해 자신감을 갖게 되었고, 5년간의 따돌림에 상처를 입었던 아이가 '컴퓨터 전문가'가 되어 자신이 좋아하는 것으로 친구들에게 장점을 보여줄 기회를 얻을 수 있었습니다.

이처럼 '교실 속 직업놀이'는 아이들이 좋아하는 활동을 통해 내면의 자존감을 키워주고, 또래 관계 회복과 학교 적응을 도와주며 아이의 개별적 성장과 변화를 이끄는 데 큰 도움이 되었습니다. 그렇게 직업놀이 교육 방법이 시작된 후, 매년 다양한 아이들과 만나고, 소통하며 삶의 이야기들이 쌓이고 있던 2018년 6학년을 맡았던 해, 교실을 잠시 맡아 주셨던 강사 선생님께서 마지막 날에 편지를 남겨두셨습니다.

“아이들이 무엇이든 스스로 하고, 서로를 존중하고 배려하는 모습이 너무 예뻐요. 무엇보다 모두가 함께 어울리는 모습에 놀랐습니다. 선생님의 학급 운영 방법을 배우고 싶습니다.”

이후에도 동료 선생님들께서 직업놀이 교육 방법을 배우고자 교실 문을 두드리는 일이 반복되었습니다. 이를 계기로 저희 교실의 경험을 공유하고자 아이스크림 쌤블로그에 <수진샘의 교실 속 직업놀이> 이야기를 연재하게 되었고, 전국의 선생님들에게 직업놀이 교육 방법을 배우고 싶다는 요청을 받게 되었습니다.

어떻게 하면 도움을 드릴 수 있을까 하는 깊은 고민과 마음을 담아 2021년 《교실 속 직업놀이》 책이 세상에 나오게 되었지요. 다양한 경로로 직업놀이를 접하신 전국의 선생님들께서 ‘교실 속 직업놀이’ 교육 방법을 본인의 교실에서 적용하신 결과, 지금 이 순간에도 아이의 성장과 교실의 변화가 저희 반뿐만 아니라 전국 각지의 교실에서 기적처럼 일어나고 있습니다.

‘교실 속 직업놀이’는 정해진 틀에 아이를 맞추는 것이 아닌, 오롯이 아이 한 명 한 명에 관한 고민으로부터 시작된 교육 방법입니다. 아이들을 향한 따뜻한 관심과 사랑을 토대로 관찰하고, 격려하며, 개별적 성장을 돕는 방법을 고민하는 교육 방법이기에 쉬운 일은 아닙니다. 그럼에도 불구하고 아이들에게 행복한 학교를 만들어주고자 실천하신 여러 선생님들의 훌륭한 교육관과 다채로운 직업놀이 교실 이야기들이 너무나 소중하였기에 이

렬듯 <사례집>으로 엮게 되었습니다.

이 책에는 아이들을 행복하게 해주려는 선생님들의 진심 어린 노력과 아이들의 성장과 변화가 담긴 소중한 경험들이 담겨져 있습니다. 성공의 경험뿐 아니라, 실패와 좌절, 고민의 과정까지도 고스란히 적혀 있습니다. 누군가에게 나의 실패담을 털어놓는다는 건 매우 큰 용기가 필요한 일임에도 불구하고, 더 나은 교육 환경을 만들어가는 길에 보탬이 되고자 시행착오의 과정까지도 진솔하게 담았기에 이 책이 더없이 귀하고 소중합니다.

연습이 없는 교육 현장에서 처음 시작하시는 선생님들께 도움이 되고자 바쁘신 중에도 시간과 마음을 내어 나눠주신, 모든 저자 선생님들의 귀하고 따뜻한 마음에 더없이 감사와 존경의 마음을 전합니다.

또한 출판사의 도움 없이 이 책이 세상에 나올 수 있었던 건, 교정부터 편집, 디자인의 전 과정을 봉사해주신 선생님들이 계셨기에 가능했습니다. 김서윤 선생님, 문서연 선생님, 박민주 선생님, 서현경 선생님, 신우영 선생님, 전솔 선생님, 정아림 선생님, 정유영 선생님께서 정성을 다해 도와주셨기에 이 책이 예쁘게 세상에 나올 수 있게 되었습니다. 진심으로 감사의 마음을 전합니다.

부디 이 책이 아이들의 행복한 미래를 위해서 더 나은 학교를 만들어가는 길에 아이들의 삶을 응원하는 초등교사로서 보람된 길을 한 걸음 더 내디딜 힘을 얻는 데 작은 도움이 될 수 있었으면 좋겠습니다.

우리 선생님들의 새로운 도전을 응원하며, 내년에는 더 많은 선생님께서 <2024학년도 교실 속 직업놀이 실천사례집>에 함께 하시기를 소망합니다.

-《교실 속 직업놀이》 저자 수진샘 올림 -

프롤로그

Q. <교실 속 직업놀이> 교육 방법이란 무엇인가요?

학급에는 기질과 성향, 장애 등 다양한 이유로 친구들과 어울리지 못하고 겉도는 아이들이 있습니다. <교실 속 직업놀이>는 단 한 명의 아이도 소외되지 않는 교실을 만들고자 합니다. 아이들 각각의 장점을 발견하고 세워주는 60가지의 직업을 교실에 도입하여, 아이들의 바른 인성과 꿈을 키워주는 '인성 및 진로 중심'의 교육 방법입니다.

수진샘의 <교실 속 직업놀이>는 기존의 1인 1역 활동과 다른 점이 있습니다. 다음은 직업놀이의 3가지 대원칙입니다.

■ 직업놀이의 3가지 대원칙

1. 하고 싶으면 누구나 할 수 있다.
2. 하기 싫으면 안 해도 된다.
3. 내가 하고 싶은 대로 할 수 있다.

아이들은 언제든 자유롭게 다양한 직업놀이에 참여하며, 자신이 좋아하는 것을 발견하거나 자신의 장점을 찾아갈 수 있습니다.

또한, 직업놀이는 1-2-3단계의 순서로 이루어집니다. 1단계 자존감을 세워주는, 성장하는 직업놀이 과정에서는 아이는 친구들과 도움을 주고받으며 또래의 인정을 통해 자존감을 키워가도록 도와줍니다. 이후 2단계 소통과 배려를 배우는 협력하는 직업놀이에서는 소그룹의 활동을 통해 같은 직업을 가진 친구들과의 협력 놀이로 상대방을 배려하고 함께 어울리는 법을 배웁니다. 3단계 도전과 용기를 배우는 성취하는 직업놀이에서는 다양한 직업을 가진 친구들과 학급 행사를 직접 기획하고 진행하는 프로젝트 활동을 하며 사회성과 리더십을 기릅니다. 점차 단계적으로 확장되는 직업놀이에 참여하며 아이들은 자신뿐 아니라 친구들의 장점과 재능을 발견하게 됩니다.

학급 운영과 맞물려 매일매일, 온종일 진행되는 직업놀이는 아이들이 진로교육과 인성교육을 삶 속에서 실천할 기회를 열어줍니다.

누구도 소외되지 않는 행복하고 즐거운 교실을 만들고 싶은 교사라면, <교실 속 직업놀이> 도서를 통해 교육을 바라보는 새로운 시각과 아이의 개별적 성장을 돕는 전문성을 얻게 될 것입니다.

▲'교실 속 직업놀이' 도서를 읽고,
감명받은 교대 재학생이 직접 그린
직업놀이 교실 모습(손 그림)

CONTENTS

PART 2. 전국 교실로 들어온 직업놀이 (학급운영편)

PART 3. 교실 환경 구성 및 추천 물품

PART 4. NEW 직업 소개

에필로그. 카페 글 조각 모음 / 내가 꿈꾸는 교실 이야기

꿈과 자존감을 키우는 행복한 학급 운영

본문에 사용되는 아이 이름은 모두 가명을 사용하였습니다.

PART 1

직업놀이, 아이를 성장시키다

제 1화

누군가를 있는 그대로 본다는 것

바다샘, 제주, 6년 차.

나만의 세계에서 한 발짝 세상 밖으로! (승호 이야기)

승호는 입학 첫날부터 다른 아이들과 조금 다르게 느껴졌습니다. 눈 맞춤이 또래에 비해 자연스럽지 못하고 말투가 어색한 데다가, 어린이집에서 함께 입학한 다른 친구가 항상 챙겨주는 것이 익숙한 듯 보였습니다. 또한, 쉬는 시간이고 수업 시간이고 책에 코를 박고 자기만의 세상에 빠져있어, 불러도 대답이 없는 경우가 많았습니다.

이런 승호가 처음 선택했던 직업은 군인이었습니다. 아마 전쟁, 총, 역사 이런 것을 좋아하는 친구라서 군인이 되면 멋진 군복이나 총 같은 것을 다룰 수 있다고 생각했던 것 같습니다. 그리고 기대한 바와 다르게 귀찮아지자 금방 흥미를 잃게 되었습니다. 직업놀이에 시큰둥한 승호에게 어떤 직업이 하고 싶은지 슬쩍 물어볼 때마다 어깨를 으쓱하곤 했는데, 어느 날은 박물관을 했으면 좋겠다고 합니다. 책에서는 못 본 직업이라서, 선뜻 시작하기가 막막해 일단 다른 직업을 먼저 시작해 보도록 권했습니다. 나에게는 비장의 무기인 '뽑기 기계'가 있으니까요. 방과 후 교실에 들를 때마다 마치 심부름시키듯이 뽑기 기계 조립 방법, 사용 방법 등을 알려주고 만져보게 했습니다. 그리고 역시나(또는 교사의 의도대로), 인턴 기간이 끝나고 승호가 우리 반 첫 번째 뽑기 가게 매니저가 되었습니다.

뽑기 가게를 열자마자, 친구들이 우르르 몰려가는 바람에 승호가 무척 바빠집니다. 친구들과 이야기를 나눌 수 있어 다행스럽긴 했지만, 막상 너무 승호 주변이 시끄러워지니 살짝 걱정됩니다. 자기만의 세계가 너무 강해서 수업 시간이나 쉬는 시간 모두 조용히 책만 읽고 불러도 대답이 없는 친구에게, 친구들이 몰리는 뽑기 가게는 너무 부담스러운 직업일 수도 있으니까요. 급기야 아이템 이용권도 없는 친구들에게 귀찮다는 듯이 뽑기를 시켜주기까지 하는 모습을 보니, 저에게는 승호가 뽑기 가게 매니저를 '제대로' 하지 못하고 있는 것으로만 보입니다.

그러던 어느 날, 제가 만들어 준 뽑기 쪽지 뒤에 무언가 자기 마음대로 쓰고 싶다고 하길래 그러라 했더니 '상어에게 먹혔다.', '독사에게 물렸다.' 등 사마귀 뱀 이런 이야기를 쓰기 시작합니다.

저는 그때까지만도 '이 녀석, 또 자기가 좋아하는 것만 하네.'하고 대수롭지 않게 생각했어요. 다른 친구들도 저처럼 별로 관심 없을 줄 알았거든요. 그런데 다음 날, 뽑기 기계에서 뽑기를 한 친구가 우다다다 달려오더니, 외칩니다.

"선생님 여기 쪽지 뒤에 뭐가 쓰여있어요!"
"응? 뭐가?"
"으하하! 이거 봐요. 나 말벌에게 쏘였대요! 그래서 꽝인가 봐요!"

보통은 뽑기 쪽지에 '꽝!'이라는 글자를 보고 실망하는데, 승호가 써두었던 문구로 재미있는 쪽지가 된 것입니다. 너무 재미있다며, 간직한다는 친구를 보고 서로 "나도 뽑아볼래"를 외치며 몰려가는 아이들이 너무 귀여웠습니다. 재밌다는 아이들에게 승호에게 꼭 감사 인사를 전하라고 하자 신나서 인사를 합니다. 그래도 별로 반응이 없는 승호였지만, 다음 날에는 '꽝!'만 골라서 '메갈로돈에게 먹혔다.' 등을 쓰고, 열심히 뽑기 알에 다 담아서 한참을 일하다가 가는 것을 보면, 승호에게도 의미 있던 경험이었던 것 같습니다.

짧은 순간이었지만 너무 재미있어하는 아이들을 보며 저는 가슴 한구석에서 쿵, 하고 소리가 났습니다. 뽑기 가게를 자기만의 방법대로 운영한 것이 아이들을 더 행복하게 해주었다는 것을 깨닫자, 승호에게 몹시 미안해졌기 때문입니다. 승호를 '뽑기 가게를 제대로 운영하지 못하는 의학적인 도움이 꼭 필요한 아이'로만 보고 있던 제 시선이 부끄러웠습니다. 교사이자 어른인 내가 원하는 대로 끌고 가지 않아도, 승호의 있는 모습 그대로 믿고 맡겨도 친구들에게 작은 기쁨들을 선물할 수 있다는 것. 직업놀이에서 '내가 하고 싶은 대로 할 수 있다.'라는 3번째 대원칙이 바로 이러한 믿음에서 나온 것이었다는 것을 깨달았던 순간이었습니다. 저에게 이런 경험을 선물해 준 승호에게 참 고맙습니다.

선생님이라면 누구나 그렇듯 저도 아이들을 존재 자체로 편견 없이 바라보는 것을 지향합니다. 하지만 말이 쉽지, 현실에서 이를 실천하려면 수양에 수양을 거듭해 거의 '도인' 수준이 되어야 합니다. 그런데 직업놀이를 하면서는 '우리 반으로 만난 아이들 한 사람 한 사람, 따뜻하게 열린 시선으로 바라봐야겠다.'라고 다짐할 수 있는 순간들을 구체적으로, 더 자주 만나게 되는 것 같습니다. 물론 그 순간들은 많은 시행착오의 순간들과 당연히 겹치기도 합니다.

뽑기 가게를 승호에게 맡기면서 시간을 조금 벌었으니, 승호가 원했던 박물관을 열기로 합니다. 고민만 하다 너무 늦을 것 같아서, 집에서 사용하지 않는 해양 동물과 사파리 동물 모형 장난감들을 가져와서 가볍게 시작했습니다. 박물관을 시작하고 승호는 뽑기 가게 매니저를 오래 하지는 않았어요. 역시 잘 맞지 않았던 것이지요. 친구들에게 박물관장 직업이 생겼음을 알리고, 약속대로 처음 제안한 친구가 먼저 단독으로 박물관 운영을 맡게 되었습니다. '박물관장님'의 허락 없이는 박물관에 전시할 동물들을 함부로 만질 수 없다고도 일렀지요. 친구들은 승호에게 허락을 구하며 함께 동물 모형으로 놀이도 하고, 동물들의 이름도 물어보기도 했습니다. 물론, 처음의 열렬한 관심이 2주 이상 지속되지는 못했습니다. 그러나 누가 알아주지 않아도 승호는 참 성실히 박물관을 관리해주었고, 나중에는 박물관 팀장님까지 승진했지요.

승호의 박물관을 자세히 관찰하면 나름의 주제와 이야기가 있었답니다. 죽은 오징어와 문어를 두고 싸우는 상어와 범고래들, 어느 때는 죽어서 뒤집힌 게, 아프리카 초원 동물들 등. 일 년을 돌아보니 제가 좀 더 신경을 써주었다면 박물관장으로 더 성취감을 느낄 수 있게 해주었을 텐데, 반 친구들에게 "이것 좀 봐! 이번 주 박물관 테마는 아프리카 초원 동물이래."라고 해주는 것 정도밖에는 할 수 없어서 아쉽기만 합니다. 이마저도, 정신없을 때는 모르고 넘어가는 경우가 훨씬 많았지요. 돌아보니 참 미안하지만, 이렇게밖에 못 했는데도 성실하고 묵묵히 자기 일을 하며 성장한 우리 승호가 정말 대견하고 고맙기도 합니다.

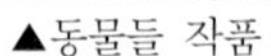
▲동물들 작품

▲박물관 모습

▲친구들과 함께

승호는 2학기에 들면서 병원 진료로 의학적인 도움도 조금 받기 시작하고, 종이 국수를 만드는 개인정보 지킴이에도 도전해 보면서 조금씩 더 밝아졌습니다. 수업 시간에 책 보는 일이 거의 없어졌고, 자기 의견도 자주 발표할 수 있게 되었습니다. 1학기에는 놀이 규칙도 지키기 힘들었는데 2학기에는 놀이할 때도 규칙을 잘 지키며 친구들과 재미있게 노는 시간이 많아졌습니다. 가을에는 승호가 많이 밝아지고 집중력도 좋아졌다며, 친구들의 축하와 응원을 받기도 했습니다. 승호가 인성왕(긍정)을 받을 때, 아마 박수 소리도 가장 컸던 것 같아요. 물론 결국 승호는 약의 도움이 필요한 친구이기도 했고, 쉬는 시간 책 보는 것을 더 선호하는 친구이기는 합니다. 하지만 더는 완전히 자기만의 세상에 빠져 책만 보지는 않게 되었지요. 이렇게 승호가 성장할 수 있었던 것은 직업놀이를 하며 쌓은 작은 성취 경험들 덕분이라고 생각합니다.

1학년의 마지막 날, 1년을 돌아보니 지금 어떤지를 감정 카드에서 고르는 활동을 했습니다. 승호가 카드들을 빙 둘러보더니, 한 치의 망설임도 없이 '행복한'을 고릅니다. 지난 1년이 '행복했기 때문'에 이 카드를 골랐다는 승호의 말에 고마워서 코끝이 찡해졌습니다. 2학년에 올라가도 지금처럼 승호답게, 친구들과 작은 기쁨들을 나누며 자라기를 응원합니다.

▲감정 카드 활동 중, '행복한'을 선택한 승호

배려하는 방법을 배워 나가요! (지윤이 이야기)

우리 반 지윤이는 입학한 첫날부터 유독 현주라는 친구를 싫어했습니다. 그것도, 대놓고 상처 주는 말을 하면서요. 예를 들면, 주로 이런 말들입니다.

"저는요, 우리 반 친구들 전부 다 고마운데요, 딱 한 사람, 송현주 빼고요."
(현주 옆에서 손으로 코를 막고 있다가, 현주가 가고 나자, 손을 내리며)"후유~ 이제야 살겠다. 다시 깨끗해진 공기!"
"아, 진짜, 아침부터 송 땡땡 땜에 짜증 나 죽겠어."

이끔이가 된 날에는 반 친구들에게 우유를 나눠줄 때는 현주만 쏙 빼놓고 준다거나, 툭, 하고 기분 나쁘게 던지는 식으로 자기 마음을 아무렇지 않게 드러내곤 했습니다. 지속해서 상담과 지도를 했지만, 행동이 먼저 나가버리니 쉽지 않았어요. 지금 돌이켜 생각해 보니, 지윤이도 '머리'로는 배려가 무엇인지는 알지만, 싫어하는 마음이 너무 크니 본인도 그렇게 '행동'하는 자기 자신이 썩 마음에 들지는 않았을 것 같습니다.

사실, 지윤이는 사랑이 많고, 친구를 좋아하고, 또래에 비해 성숙한 아이입니다. 승호를 가장 잘 챙겨주는 친구이기도 합니다. 담임 선생님께는 사랑한다는 쪽지로 기운을 북돋아 주기도 하고요. 그런데 유독, 딱 한 명, 송현주만 싫어했습니다. 어느 날 상담하며 싫어하는 이유를 물으니, 현주의 지저분한 겉모습과 성격 때문이라고 하기에 안타깝고 막막한 기분이 들었습니다. 아직 어린아이들이니 본능적으로 싫어하는 것을 어찌할 수 있겠습니까. 버섯이 건강에 좋다는 것을 알지만 토할 것 같다며 버섯을 먹지 못하는 아이에게, '버섯이 이상하게 생겼다고 싫어하면 안 돼! 좋아해 보렴!'하고 들이밀 수는 없는 노릇이잖아요. 하물며 사람을 싫어한다는데, 억지로 좋아하게 만들기란 얼마나 어렵겠어요. 하지만 싫어한다고 해서 사람에게 상처 주는 말을 해서는 안 된다는 것, 다른 친구들에게도 안 좋은 말을 하며 따돌리는 행동을 해서는 안 된다는 것은 지윤이가 꼭 배워야 했기에, 대책이 시급했습니다.

그 대책 중 한 가지가 제게는 바로 '교실 속 직업놀이'였습니다. 사실, 지윤이와 현주 때문에 1학년임에도 겁도 없이(?) 직업놀이를 시작한 것이나 다름없었습니다.

지윤이의 장점은 무엇이든 잘하고 싶어 하고, 누군가를 도와주는 것을 좋아하는 것입니다. 말을 잘해서 따지기도 좋아하고요. 이 친구를 생각하며 떠올린 직업은 마음 의사, 변리사였습니다. 마음 의사를 해보며 친구들을 따뜻하게 보살펴주며 배려심을 배웠으면 했거든요. 그러나 교사의 기대와 달리, 지윤이가 처음 선택한 직업은 바로 '탐정'이었습니다. 그리고 예상과 달리 무척 열심히 했어요.

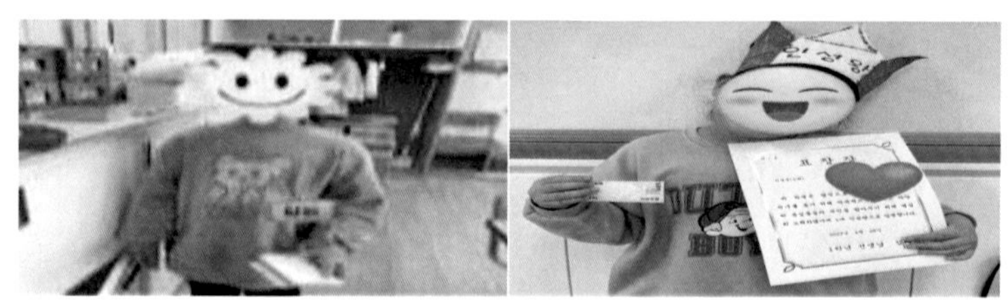

▲탐정 활동을 하는 모습 ▲인성왕에 선정되어 기뻐하는 모습

하루는 우리 반 사랑이가 찾아와 자기 물병을 잃어버렸다고 하길래, 탐정님에게 의뢰해 보라고 했습니다. 지윤이에게 쪼르르 가서 물병을 찾아달라고 하니, 무슨 색이었냐, 언제부터 잃어버렸냐 등을 물으며 함께 찾기 시작합니다. 그런데 교실에서 아무리 찾아도 나오지 않았어요. 아마, 가장 오래 걸렸던 사건이었던 것 같습니다. 다음 날도, 다음 다음날도, 지윤이는 쉬는 시간에 이 일을 하는 것이 조금 귀찮아하는 표정이 역력했지만, 물병을 잃어버려 울상인 친구 얼굴을 무시할 수 없기도 하니, 모든 사물함을 열고 교실 구석구석을 찾아보기도 합니다. 그런데 다음 날, 사랑이가 등교하더니 탐정에게 드디어 물건을 찾았다고, 집에 있었다고 말합니다. 안도의 큰 숨을 쉬며 사건을 해결했다고 친구와 함께 어찌나 기뻐해 주던지요! 정말 다행이라며 기뻐하던 모습이 눈에 선합니다.

하나씩 주인을 찾아줄 때마다 자기 일처럼 기뻐했던 지윤이. 역시 이번에도 저는 지윤이를 '배려심 없는 아이'라는 시선으로만 보고 있었음을 깨닫습니다.

안타깝게도, 지윤이는 1학기에는 한 가지 직업을 오래 하지는 못했어요. 지금 와서 생각해보니, 아마도 막상 호기심에 직업을 해보니 자기 성향과 잘 맞지 않아서였던 것도 있었을 테고, 저나 친구들이 지윤이의 인정 욕구를 제대로 채워주지 못해서였을 것도 같습니다. 그러던 지윤이가 제안했던 직업이 바로 '고민 상담가'입니다. 제가 처음에 제시한 직업은 아니었는데, 갑자기 '오늘부터' 꼭 해보고 싶은 직업이 생겼다며 아침부터 조릅니다. 사실, 속으로 깜짝 놀랐습니다. 앞서 말했듯이, 지윤이는 누가 싫으면 싫다고 티를 팍팍 내는, '배려심 없는 아이'로 생각했었으니까요. 성급하게 시작하면 오히려 다른 친구들에게 지적이나 충고하다가 상처를 줄 것만 같아서(사실은 내가 아직 지윤이를 믿지 못해서) 오늘 시범 운영을 해보자고 했습니다. 그리고 해봤는데도, 정말 하고 싶으면 오늘 오후에 준비해서 내일부터 열자고 약속했지요. 지윤이가 신나서 바로 뒤돌아 외치기 시작합니다.

"고민 있는 사람! 고민 들어 드려요!"

그 말을 듣고 한 친구가 찾아가 둘이 속닥속닥 무언가를 이야기하더니 푸하하하, 웃으며 달려와 재잘재잘 전하는 이야기는 다음과 같았습니다.

"아니, 선생님, 윤서가 와서, 오빠가 집에서 자꾸 방귀를 뀌어서 너무 힘들다고 그게 고민이라고 하잖아요. 그래서 제가 듣고 뭐라고 했는 줄 알아요?"
"푸하하. 글쎄, 그래서 뭐라고 했어?"
"옆에 가지 말라고요. 오빠가 방귀 뀔 거 같을 때 절대 옆에 가지 말어, 했어요. 그랬더니 웃으면서 고민 해결했다니깐요!"

어이가 없어서 한참 웃다가, 선생님 고민은 없냐기에 우리 반이 너무 떠드는 게 고민인데 했더니, 혼을 내라, 그래도 안 들으면, 비서를 통해서 조용히 시키라고 조언을 해주고 총총 사라집니다.
참견하기를 좋아하는 친구이기에 걱정이 되어, 좋은 상담가의 덕목은 끝까지 잘 들어주는 것이다, 꼭 해결책을 찾지 못해도 괜찮다고, 잘 들어주고 공감해 주라고 했습니다. 오늘 하루 해보니 자기는 꼭~꼭~ 내일부터 하겠다며, 오후에 교실에 들러 상담 일지며, 명찰을 꾸미고 갑니다.

그리고 해피엔딩, 이면 좋겠지만, 사실 지윤이는 고민 상담가도 오래 하지 못했습니다. 막상 시작하니 상담을 요청하는 친구들이 많이 없어 금방 싫증을 느꼈기 때문입니다. 이 지점이 사실 교사인 제가 아픈 부분이기도 합니다. 지윤이가 더 성취감을 느낄 수 있도록 장치들을 마련했어야 했는데(다양한 마음 카드 같은 것도 이용해 보려고 생각했는데, 너무 늦었지요.) 그러지 못했다는 아쉬움과 미안함이 큽니다.

이런 지윤이가 1학기 말에 시작하여 학년말까지 꾸준히 해서 팀장까지 승진한 직업이 있었으니, 바로, '요리사'입니다. 제안한 친구가 따로 있었지만 둘이 단짝 친구라서 같이 해보겠다고 하여 '강아지 식당'을 함께 열었습니다. 그리고, 정말 열심히, 성실히 했어요. 싫어하는 현주에게도 공평한 양으로 간식을 정성껏 담아 주기도 했습니다.

눈놀이를 하고 덜덜 떨던 우리 반 모두에게 핫초코를 주문해 주었던 12월의 어느 날, 지윤이가 우리 반 친구들 모두에게 핫초코를 다 타 주고 나서야 "휴~ 바빴네!"하고 앉아 자기 것을 가장 마지막에 타서 맛있게 마시던 그 순간이 기억납니다. 아이들과 함께 정말 고맙다고, 대단하다는 눈짓으로 인사를 전하자 정말 힘들었다며 뿌듯해하던 지윤이의 표정이 반짝반짝 빛났습니다.

지윤이는 여전히 현주를 좋아하지는 않습니다. 하지만 적어도 학기 초처럼 대놓고 아픈 말을 하지는 않게 되었습니다. 물론 가끔 실수할 때는 있지만, 이제는 사과도 잘합니다. 친구들도, 자기 자신도 인정하는 배려, 친절, 성실, 우정 인성 왕도 참 많이 받았습니다. 직업놀이와 함께 배려가 무엇인지, 책임감이 무엇인지, 성실함이 무엇인지, 알게 모르게 작은 경험들이 쌓이며 지윤이의 키만큼 마음도 자랐습니다.

제2화

잠재력이 무궁무진한 사랑아, 고치를 뚫고 나오렴

잇몸샘, 경기, 3년 차

이렇게 변화했어요!

우리 사랑이는 제가 직업놀이를 시작하기로 결심하게 된 가장 큰 이유입니다. 사랑이는 전 학년 담임 교사, 상담 교사가 따로 아이 특성에 대해 인수인계를 해주실 정도로 많은 관심이 필요한 아이였습니다. ADHD 특성상 주의력이 떨어져 수업 시간에 산만하거나 과다한 활동을 하는 것은 괜찮았지만 가장 힘들었던 점은 과격한 충동성이었습니다. 사랑이는 이유 불문하고 자신의 기분이 조금이라도 상하면 감정을 조절하지 못하고 언어적, 신체적으로 분노를 표현했습니다. 이미 4년간 사랑이의 언행으로 인하여 이미 아이들은 사랑이에 대해 인식이 좋지 않아 수군거리기 일쑤였고 사랑이도 이를 알고 있었기 때문에 아이들이 그렇지 않을 때도 분노를 표출하였습니다. 아이가 편안함을 느낄 환경도 아니었고, 감정을 조절하기는 더더욱 어려웠기에 직업놀이를 시작할 때 저의 목표는 사랑이가 편안함을 느낄 수 있는 화목한 반 분위기, 아이가 행복하게 몰두할 수 있는 무언가를 찾아주는 것이었습니다.

직업놀이를 시작하고 직업을 안내할 때 가장 의외였던 것은 사랑이의 반응이었습니다. 항상 무표정이고 말이 없던 아이가 궁금한 표정으로 그렇게 많은 질의응답을 할 거라곤 상상도 못 했습니다. 직업놀이 시작 자체로 인해 아이들의 분위기가 잔뜩 들뜬 상태였기 때문에 서로서로에게 어울리는 직업을 추천하기 시작했습니다. 사랑이가 체구가 크고 듬직한 이미지였기에 아이들은 골똘히 고민 중인 사랑이에게 선택지 중 학급 군인을 추천하였고 누군가 자신에게 자신감을 주는 것이 기분이 좋았던 사랑이는 첫 직업으로 '학급 군인'을 선택하게 되었습니다. 쉬는 시간, 점심시간 앞 복도 관리, 다른 반과의 우리 반의 충돌 방지하기를 충실하게 하였고 워낙 듬직한 이미지에 저희 반에 평화가 찾아오기 시작했습니다. 매일 고자질하고 싸우던 반이 변하기 시작하자 반 아이들이 사랑이에게 감사를 표현하기 시작했습니다. 늘 혼나고 공격의 대상이었던 사랑이는 인정받기 시작하자 자신감이 상승하고 자신이 학급 군인으로서 무엇을 할 수 있을지 더욱 고민하는 모습을 보였습니다.

그러던 중 사랑이가 학급 및 복도에서 지켜야 할 규칙을 수기로 작성하여 붙이게 되었는데 규칙 옆에 그려진 그림이 수준급이어서 아이들의 어마어마한 관심을 받게 되었습니다. 알고 보니 사랑이는 그림 그리는 것을 굉장히 좋아했었고 그림을 그릴 때만큼은 안정

되고 행복하다는 것을 알게 되었습니다. 아이들이 이걸 왜 숨기고 있었냐며 다음 직업을 선택할 때는 꼭 '디자이너'를 하라며 성화였고 쑥스러워하며 머리를 긁적이던 사랑이의 모습이 아직도 기억에 남습니다. 다음 달 사랑이의 직업은 디자이너가 되었고 사랑이는 쉬는 시간, 점심시간 그림 그리기에 몰두하기 시작했습니다. 은행원, 파티 플래너, 아이템 상점 아이들은 하루에도 몇 번씩 사랑이를 찾았고 힘들 것으로 생각한 제 생각과 날리 사랑이는 아이들과 어울리며 바쁜 상황에 점점 밝아졌습니다. 오히려 매달 다른 그림을 저에게 내밀며 코팅해서 반을 꾸미는 데 사용해달라는 모습을 보며 너무 기특했습니다. 사랑이의 그림 색도 변화했습니다. 교과서에 그리던 검은색, 빨간색이 주를 이루는 식칼, 피 그림에서 알록달록한 캐릭터 그림, 풍경 그림으로 변화해 갔습니다.

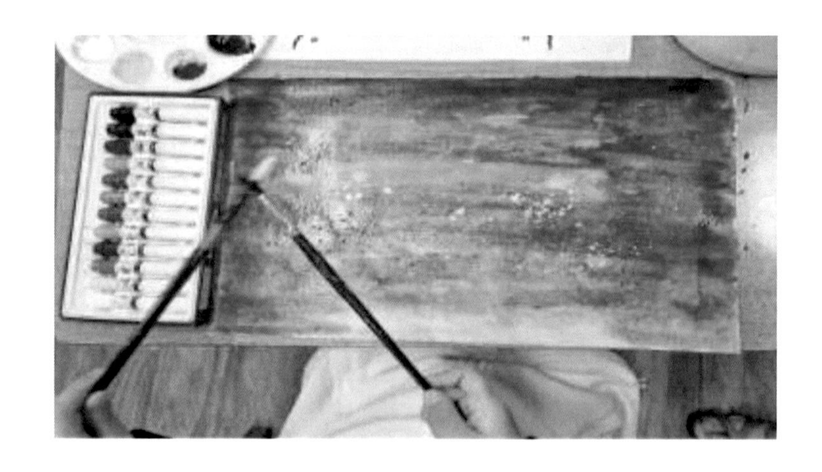

재는 분노 조절 장애라고 수군거리며 피하던 아이들은 서로 앞다투어 사랑이에게 그림을 의뢰하며 많은 이야기를 이어 나갔고, 사랑이는 웃음이 많아졌습니다. 직업놀이를 진행하면서도 분노가 폭발하긴 했습니다. 그러나 폭발하던 주기도 3일에 한 번에서 한 달에 한 번이 되었고 분노를 표할 때 물리적 폭력을 사용하던 아이가 자신만의 공간에서 그림을 그리며 화를 다스리려 하는 모습을 보며 아이가 많이 변화하고 있는지를 느낄 수 있었습니다. 2학기 들어 10월부터 종업 전까지는 한 번도 분노를 표한 적이 없었고 다른 반 선생님들께서 사랑이의 표정이 매우 편안해졌다고 말씀하시는 것을 들으며 행복함을 감출 수 없었습니다.

memo

제 3 화

오늘도 각자의 빛은 눈부시게 반짝인다.

세상빛샘, 경기, 2년 차.

우리 반은 25개의 빛깔이 있어요!

저희 반에는 오늘도 25개의 빛이 반짝반짝 빛나고 있습니다. 선생님인 제 눈에는 모두 다 예쁘게 빛나고 있는데 아이들은 그 빛들을 잘 보지 못합니다. 모두 다 자신의 빛에 눈부셔서 그런 걸까요? 사람들은 누구나 모난 점이 있습니다. 한 사람의 모난 점들을 보면 끝도 없이 보이는데, 우리 반 친구들은 서로의 빛나는 점보다는 모난 점을 보기 바빴습니다. 직업놀이를 통해서 서로의 빛나는 점을 발견해 주고 모난 점을 보듬길 바라며 교실 속 직업놀이를 시작했습니다. 이러한 바램 속 시작한 직업놀이를 마치며, 자신의 빛을 멋지게 펼치며 눈부시게 성장한 저희 반 아이들 세 명을 소개합니다.

"학교에 왜 와야 해요?"
우리 반 소크라테스, 원빈이 편

저희 반에는 소크라테스가 한 분 계십니다. 그의 이름, 원빈. "선생님, 학교는 왜 와야 하는 거죠? 저는 집에 있고 싶은데요?", "선생님, 대체 왜 이렇게 되는 걸까요?" 항상 원빈이는 모든 것에 의문을 가졌습니다. 좋게 보면 소크라테스지만 가끔은 불평쟁이로 비치고는 했습니다. 인생 10년 차가 이렇게 시니컬할 수 있다니 처음에 굉장히 당황스럽기도 했습니다. 하지만 원빈이와 이야기를 나누어보면, 원빈이는 정말 납득하고 싶어 했습니다.

▲1년 동안 우리 반 25명의 다짐을 적은 사진

자기가 학교에 와야만 하는 이유를 찾고 싶어 했습니다. 또한, 교우관계에서도 사려가 깊었던 원빈이는 아이들의 작은 말과 행동에도 상처를 많이 받았고, 상처받은 티를 내지 않으려고 애써 유쾌한 척하는 여린 아이기도 했습니다.

이런 원빈이에게 딱 맞는 직업은 바로 변리사였습니다. 작은 학급 행사부터 중요한 학급 규칙까지 변리사는 학생들의 의견을 모으고, 그 의견을 토의하여 선생님께 의견을 제출하는 역할이었습니다. 직업 설명회 때부터 원빈이의 눈은 반짝이기 시작했습니다. 따로 원빈이에게 귀띔도 해두었습니다. “원빈아, 원빈이가 변리사가 되면 정말 꼼꼼하게 여러 경우를 고려해서 우리 반을 도와줄 수 있을 것 같아. 변리사 한번 해볼래?”라고 물었더니 원빈이는 당연하다는 듯 고개를 끄덕였습니다.

변리사가 된 원빈이는 날개가 있는 것처럼 훨훨 날아다니기 시작했습니다. 친구들의 의견을 받아 그 의견을 검토하고, 자신이 검토한 대로 계절 파티와 같은 다양한 행사들이 운영된다니! 변리사를 하며, 원빈이는 자신이 학교에 다니는 이유를 찾을 수 있었습니다. 원래부터 생각이 깊었던 원빈이는 평소대로 생각만 했을 뿐인데, 친구들에게 많은 인정을 받을 수 있었고 자신의 의견대로 학급이 운영되는 것을 기대하고 즐겁게 학교에 갈 수 있었습니다. 원빈이 어머님께서 해주셨던 말씀이 기억에 남습니다. “선생님, 너무 감사드려요. 선생님 덕분에 원빈이가 올해는 너무 학교를 즐겁게 다녀요. 이 말씀을 꼭 드리고 싶어서 상담 신청했어요.” 불평쟁이가 될 수도 있었던 원빈이는 직업놀이를 통해 우리 반 변리사로 성장할 수 있었습니다. 원빈이만의 깊은 생각을 가진 아이로 성장하길 선생님이 응원할게!

"선생님, 제가 해볼게요!"
우리 반의 숨은 보석, 수연이 편

'저 친구 진짜 너무 괜찮은데, 왜 다른 아이들은 몰라주지?' 선생님들께서도 한 번쯤 생각해 보신 적 있으시죠? 차분하게 자기 일을 너무나도 잘 해내는 아이. 게다가 다른 친구들까지 배려해 주고 이해해 주는 아이. 제 눈에는 너무나도 사랑스러운데, 목소리가 크지 않다는 이유로 우리 반 아이들의 눈에는 잘 보이지 않나 봅니다. 이런 아이를 어떻게 하면 교실 속에서 빛낼 수 있을까? 정말 많이 고민했습니다.

선생님의 도움 첫 번째, 훌륭한 직업놀이 사례를 설명할 때 수연이의 이야기를 많이 해주었습니다. 직업놀이의 규칙을 누구보다도 잘 지키며 성실하고 꼼꼼하게 자신이 맡은 사서 일을 해내는 수연이의 사례를 이야기해 주며 아이들이 수연이의 배려심 깊은 행동에 주목할 수 있도록 하였습니다. 선생님의 도움 두 번째, 수연이를 제1대 인성왕으로 선정했습니다. 인성왕 발표날, 아이들에게 "우리 반에서 규칙을 가장 잘 지키는 아이는 누구일까요?"라고 물었습니다. 거듭된 칭찬으로 수연이의 행동에 관심을 가졌던 아이들은 수연이의 눈에 띄지 않지

▲제1대 인성왕이 되어 기뻐하는 수연이

만, 대단한 모습들을 발견할 수 있었고, 많은 아이가 수연이의 이름을 크게 외쳤습니다. 수연이는 새빨개진 얼굴을 두 손으로 가렸지만, 그 누구보다도 행복해 보이는 수연이의 미소를 볼 수 있었습니다. 이렇게 친구들에게 인정받는 수연이에게 마지막으로 준 선생님의 세 번째 도움은 친구들 앞에서 적극적으로 행동해야 하는 비서팀, 안전 보안관과 같은 직업을 추천해 준 것입니다. 칠판 앞에 앉아있는 비서팀. 안전보안관 등등을 처음에는 어려워했습니다. 허나 점점 자신을 드러내는 일들을 성실하게 해내며 수연이는 무엇이든지 잘 해낼 수 있는 자신감이 있는 아이로 성장했습니다. 새로운 직업이 생겼던 어느 날 수연이가 크게 외쳤습니다. "선생님! 제가 해볼게요."라고 말이죠. 저절로 미소가 지어지던 순간이었습니다.

"2학년 때보다 1,000% 나아진 것 같아요!"
사랑받고 싶은 하준이 편

수업 시간에 가만히 앉아있지 못해 돌아다니고, 자기 할 말만 하는 아이. 교과서를 보고 집중하는 시간이 딱 10분이었던 하준이는 수업 시간을 매우 힘들어했습니다. 또한 자신이 하고 싶은 것들을 먼저 해야 하는 하준이는 다른 친구들과의 관계에 많은 어려움을 겪었습니다. 하준이가 무엇 때문에 이러는지, 어떻게 도움을 주면 될지 고민이 많았습니다. 하준이를 세심히 관찰하고 이야기를 나누어보니 하준이는 누구보다도 사랑이 많고, 또 그런 사랑을 받고 싶어 하는 아이였습니다. 친구들의 관심이 고프고, 부모님과 선생님의 사랑이 고픈 그런 아이였습니다.

선생님은 하준이를 사랑하는 존재라는 인식을 심어주는 일이 가장 중요했습니다. 수업 시간에도 선생님과 이야기하고 싶어 하는 학생이기에, 하준이의 말은 최대한 쉬는 시간에 많이 들어주고 공감해 주었습니다. 또 학교에 남아서 선생님과 시간을 보내길 좋아하는 하준이에게 슬며시 환경지킴이를 권유했습니다. 하준이는 누구보다도 청소를 깨끗하게 성실히 해냈습니다. 이런 시간을 함께 자주 보내고 직업놀이를 매개로 많은 칭찬을 해주었더니, 하준이는 전담 시간에는 선생님의 말씀을 듣지 않더라도 담임 선생님의 말씀은 누구보다도 잘 듣는 아이가 되었습니다. 하준이에게 저는 교실에서 유일하게 사랑을 주고받는 존재가 아니었을까 싶습니다.

이제 선생님 말씀은 잘 들어보려고 노력하는 하준이! 하지만 여전히 친구들과의 관계는 삐걱거렸습니다. 다른 친구들을 배려해 주고 생각해 주는 것을 어려워했습니다. 하준이는 자신이 원하는 것, 하고 싶은 것을 먼저 해야 했기 때문입니다. 그런 하준이에게 다른 친구들과 많이 소통해야 하는 바리스타를 권했습니다. 제가 권유는 했지만, 사실 걱정이 많이 됐습니다. '바리스타를 하면서 친구들과 더 많이 싸우면 어떡하지? 하준이의 이기적인 행동 때문에 오히려 편견이 더 생기지는 않을까?' 친구들하고 소통하는 과정이 처음에는 쉽지 않았습니다. 함께 바리스타를 맡았던 친구들과의 역할 싸움도 잦았습니다. 다행히도 여러 번 바리스타를 맡으며, 친구에게 원하는 음료가 무엇인지 묻고, 그 말에 따라 음료를 만들어 주는 과정에서 하준이는 한층 더 성장할 수 있었습니다.

▲환경지킴이로 활동하는 하준이 ▲피아노를 멋지게 치는 하준이

자기 뜻대로만 행동하는 시간이 아니라 친구들의 의견을 듣고 그에 따라 행동해 보며 하준이의 변화가 시작되었습니다. 하준이는 변화하고 있는데, 한번 만들어진 하준이에 대한 안 좋은 시선을 긍정적으로 만들기란 쉽지 않았습니다. 그래서 자신의 장기를 마음껏 뽐낼 수 있는 계절 파티를 열었습니다. 하준이가 의젓하게 피아노 치는 모습, 멋지게 만든 건담을 자랑하는 모습을 보며 아이들도 하준이에 대한 인식이 점점 바뀌었습니다. 그리고 드디어 하준이가

인성왕이 되던 날! 아이들에게 물었습니다. “우리 반에서 3월보다 가장 많이 변화한 사람은 누구일까요?” 아이들은 모두 하준이의 이름을 크게 외쳤습니다. 그리고 하준이와 2학년 때 같은 반이었던 친구가 말했습니다.

“선생님! 하준이가 2학년 때보다 1,000% 나아졌어요!”

다른 친구들의 크나큰 공감 속에 하준이는 어깨를 으쓱대며 함박웃음을 지었습니다.

제4화

아무튼, 교실로 출!근!

소정샘, 경기, 7년 차

어쩌다 보니 N잡러/슬기로운 원석생활

일요일 밤, 모든 직장인이 출근 생각에 우울해합니다. 저 역시도 일요일 저녁만 되면 출근 생각에 우울함을 감출 수가 없는 태생 직장인이지요. 아마 6학년 2반의 13살 원석이도 많은 직장인과 같은 생각을 할 것입니다. "월요일이 왜 싫어?"라고 묻는다면 주저하지 않고 "등교해서요!"라고 외칠 모습이 눈에 선합니다. 친구들과의 수다보다는 너튜브 릴스가 좋은 아이, 자신은 대학을 안 갈 거니 국어, 수학 따위는 배우지 않아도 된다는 아이. 조별 활동에 무임승차가 당연한 아이.

이 아이에게 1년간 어떤 배움을 제공할 수 있을지 많은 고민이 되는 한 해였습니다. 원석이에게 "꿈이 뭐야?"라고 물으면 "돈 많은 백수요."라고 대꾸하곤 했습니다. 아직은 여러 꿈을 꾸느라 정해진 꿈이 없을 수 있는 나이이지만, 어른들이 돈, 물건과 같은 물질적인 것만을 최고라고 말하지는 않았는지 되돌아보게 되었습니다. 세상은 너무 빠르게 변하고, 그에 비해 학교의 속도는 아직도 너무 느립니다. Chat GPT 같은 AI가 당연해진 세상에서 교사의 역할은 지식 전달자가 아니라 방향 제시자가 되어야 한다는 결심이 섰습니다. 그렇다면 어떤 방향을 제시해야 할까요? 그때 문득 죽은 시인의 사회의 "이제부터 자신의 발걸음을 찾도록 해. 자신만의 보폭과 속도로 걸어라."라는 명대사가 생각이 났습니다. 그렇게 몇 날 밤을 고민하다가 원석이가 스스로 생각할 수 있는 교실, 꿈꾸고 싶은 교실을 만들어줘야겠다는 결심을 하게 되었습니다.

#슬기로운 원석 생활 #출근 #꿈 찾기

처음으로 시작한 것은 교실에서 원석이의 위치를 찾아주는 것이었고, 그러기 위해서는 원석이가 '책임감'이라는 가치를 실현할 역할을 부여해야 했습니다. 수진샘의 직업놀이를 미덕 교육과 연계하여 반 전체의 프로젝트를 구성했습니다. 반 전체의 미덕을 뽑아 학급에서 한 해 동안 실현할 미덕으로 반의 이름을 구성합니다. 이 미덕이 한 학급의 정체성이 되는 것이지요. 학급의 미덕을 공유한 후에 한 달 동안 경험해 볼 직업의 명단을 제공하였습니다.

"선생님, 전 하고 싶은 직업이 없는데요?"

앗, 생각하지 못했던 부분이었습니다. 원석이가 당연히 주어진 직업 중 하나를 고를 것이라고 너무 안일하게 생각했던 탓이었습니다. 원석이가 꿈꾸고 싶은 직업이 무엇일까? 진지하게 고민해 볼 기회를 주고 싶다는 생각이 들었습니다. 그래서 진로 활동으로 '꿈 직업인터뷰'를 진행하게 되었습니다. 직업에 대한 이해가 높아지자 다시 반에 필요한 직업의 명단을 아이들과 함께 작성해 보고 직업들에 필요한 미덕들도 하나하나 찾아보았습니다. 예를 들어, 안전보안관이라면 질서, 존중, 책임이라는 미덕이 필요하겠지요? 아이들 입에서 "열정, 노력, 성실" 제가 가르치고 싶었던 가치들이 나오고 시작했습니다. 스스로 답을 찾은 아이들의 얼굴에 장난기가 어느새 사라지고 진지한 미소가 맴돌았습니다.

이 시간 이후 자신이 가지고 있거나 가지고 싶은 미덕을 가진 직업에 스스로 지원하게 되고 선택한 직업들을 학급에서 경험하게 됩니다. 직업에 고용된 아이들은 한 달 동안 직업에 부여된 역할을 수행하고 미덕으로 책정된 보수를 받게 됩니다. 원석이 역시 자신과 맞는 직업을 결국 찾아냈습니다.

▲원석이가 진행한 이벤트 사진

자신의 미덕은 "재미, 즐거움"이라고 말하고 다니더니 그와 딱 맞는 '이벤트 플래너'라는 직업을 찾아낸 것이지요. 그러더니 자신이 스스로 기획한 학급의 이벤트를 진행하기 시작했습니다. 원석이가 준비한 첫 이벤트는 학급 생일 잔치였습니다. 친구들의 생일을 하나하나 조사하고 매달 해당 아이의 생일에 노래를 불러주거나 칠판에 생일 축하 메시지를 남기는 활동을 진행했습니다. 반 친구들의 반응이 좋아질수록 원석이의 학급 생활도 활기차짐을 느낄 수 있었습니다. 모둠 활동에 이전보다 적극적으로 자신의 의견을 내기 시작했고, 맡은 일을 책임지고 끝내려는 태도를 보이기 시작했습니다.

#나도 N잡러 #사장님

그러기를 3개월쯤 되었을까 원석이가 사업체를 내고 싶다고 저를 찾아왔습니다. 흔쾌히 사업 신청서를 내밀어주자 가져온 사업체의 이름은 '대신러' 였습니다. 대신해서 게임 캐릭터를 키워주겠다는 것이었는데 결론적으로 사업은 흥하지 못했습니다. 책정된 가격이 터무니없이 비쌌고 친구들이 원하는 것이 아니었기 때문이었지요. 문제점이 보여도, 교사는 아이가 스스로 직업의 가치를 찾고 문제점을 깨달을 수 있도록 인내심을 가지고 기다려야 합니다. 답을 주는 역할이 아니라 방향 제시자가 교사의 역할이기 때문입니다.

사업체가 제대로 돌아가지 않자, 원석이가 제게 고민을 토로했습니다. 저는 관찰해 온 것을 바탕으로 '존중'이라는 가치에 대해 원석이와 진지한 대화를 나눴습니다. “친구들이 무엇을 좋아하고 원하는지 한번 잘 관찰해봐, 친구들의 의견을 존중하고 경청하다 보면 원석이가 해야 할 일이 무엇인지 알 수 있을 거야.” 일주일쯤 지났을까? 원석이가 가져온 종이에는 수학 문제 풀이 도와주기, 청소 대신해 주기가 적혀 있었습니다. 원석이는 책임감 있는 태도로 맡은 사업체를 성실하게 운영했습니다.

이어진 학부모 상담에서 어머님께서 떨리는 목소리로 말해주셨습니다. “선생님 감사해요. 우리 아이가 학교 가는 게 참 즐겁대요! 직업을 맡았다고 내일도 일해야 한다고 일찍 가야 한다는데....” 미덕의 가치를 설명해 주고, 직업이라는 역할을 부여해 주었을 뿐인데 아이가 교실에서 자신의 존재가치를 찾은 것 같아 뭉클한 순간이었습니다. 그 이후에도 원석이는 1년 동안 다양한 직업을 체험하고 훌륭하게 소화하며 만능 N잡러가 되었습니다.

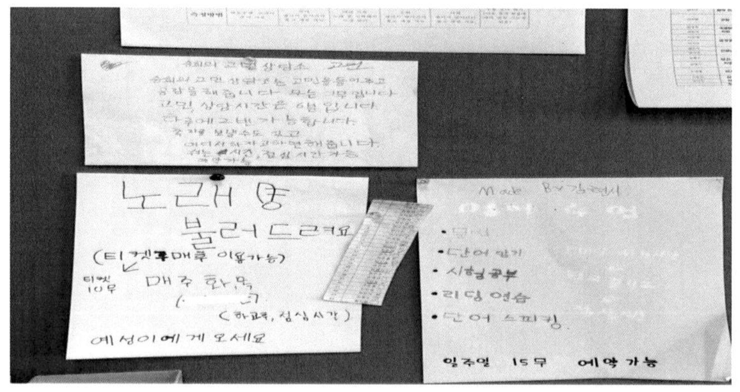

▲학생들이 직접 작성한 자신들의 사업체 홍보자료

제 5 화
가치, 같이! 우리 함께 할래?

희망을 주고픈 수샘, 전남, 4년 차

예슬아, 너는 우리 반의 비타민이야!

“아…. 예슬이다….” 3월 첫날부터 여기저기 아이들의 한숨 소리가 들립니다. 3월 첫날 아이 대부분은 설렘과 떨림을 가득 안고 학교에 옵니다. 하지만 오늘은 걱정과 실망이 얼굴에 가득합니다. 예슬이는 통합학급을 처음 맡은 저에게도 걱정의 대상이었습니다. 예슬이는 교실에서 소리를 지르고, 교사에게 말없이 문밖을 나가고, 자기 마음대로 되지 않으면 짜증을 내며 울었습니다. 3월 첫 주 밖으로 뛰쳐나가는 예슬이를 데려오고 달래는 일들의 연속에서 된통 혼이 난 저는 고민에 빠졌습니다. 한숨을 푹푹 쉬던 아이들의 모습도 머릿속에서 떠나지 않았습니다. 예슬이가 어느 날 ‘짠!’하고 변한다면 좋겠지만 그 일은 당연히 어렵겠지요. 그래서 저는 아이들과 저의 마음을 바꿔보기로 했습니다.

아이들의 마음은 어떻게 움직였을까요? 마음의 변화가 일어난 순간 아이들은 사진처럼 누가 시키지 않아도 선한 마음을 실천하는 놀라운 모습을 보여주었습니다. 학기 말 이제 우리 반에 예슬이는 천덕꾸러기가 아닌 '분위기메이커'가 되어있었습니다.

긍정의 닉네임 부르기, 인정받는 아이들

'자세히 보아야 예쁘다. 오래 보아야 사랑스럽다. 너도 그렇다.' 나태주 시인의 '풀꽃'입니다. 이 시를 인용한 까닭은 직업놀이의 가장 큰 매력도 아이들의 장점을 살피고 개개인 모두 사랑스러운 존재로 인정해 주는 것이기 때문이죠. 아이들도 장점을 살린 닉네임을 불러주다 보면 더욱 자신을 소중히 여기게 되지 않을까요? 직업놀이의 왕 제도 중 하나인 저희 반의 '용왕 프로젝트'를 소개합니다. 먼저 저희 반의 19명의 용왕을 소개합니다. '차분 왕, 도움 왕, 탐구 왕, 창의 왕, 공감 왕, 꼼꼼 왕, 노력 왕, 성장 왕, 모범 왕, 예의 왕, 발표 왕, 성실 왕, 열정 왕, 봉사 왕, 호기심 왕, 배려 왕, 칭찬 왕, 협동 왕, 관찰 왕'의 이름을 가진 아이들은 수업 시간에도 저와 이야기할 때도 '최예슬'이 아닌 '호기심 왕 최예슬'로 불립니다. 용왕 프로젝트는 먼저 교사가 아이들에게 관심을 두는 것부터 시작합니다. 그리고 아이의 장점이 발견되는 그 순간(!) 놓치지 않고 이렇게 이야기합니다. "찬이는 친구의 입장에서 늘 생각하며 배려하는구나." 그 말을 들은 아이는 어깨가 으쓱하게 됩니다. 이런 순간들을 쌓고, 금요일 오후 이 주의 인성 왕을 발표합니다.

▲예슬이의 그림에 쓴 친구들 응원의 말 ▲친구들이 디자이너판에 붙인 예슬이 그림

인성 왕은 주에 1명 많게는 3명까지 뽑고 마지막에 한 명만 남지 않도록 고려하여 자유롭게 임명하였습니다. 찬이의 경우처럼 제가 붙여준 일도 있지만, 친구들이 붙여준 일도 있습니다. 예슬이의 경우 친구들을 좋아하고 관심이 많다는 장점을 발견해 호기심 왕이라 이름 붙여주었습니다. 누가 붙여주는지는 크게 중요하지 않은 것 같습니다. 다만, 그 아이도 스스로 '그런 장점이 있구나~' 인정할 수 있도록 제가 관찰한 장점, 친구가 관찰했던 장점을 구체적으로 이야기하는 기회를 마련하는 것이 가장 중요하다고 생각합니다.

■ 아이들이 서로의 장점을 부르며 알게 된 것

1. 모든 친구가 하나씩은 장점이 있다.
2. 나에게도 인정받을 수 있는 장점이 있다.
3. 나의 부족한 점은 친구가 채워줄 수 있다.

매사 의욕이 없고 잘하는 것이 없다고 생각하던 효신이는 봉사왕으로 인정받은 후부터 청소 시간만큼은 자신감이 넘칩니다. 빗자루를 들고 곳곳을 청소하며 재미를 느껴 환경 지킴이라는 직업도 스스로 선택하였습니다. 어질러진 친구 자리를 정돈해 주고 자신의 자리를 깨끗이 유지하려고 노력합니다. 친구들도 효신이를 보며 "우리 반 봉사 왕답네." 하고 웃어 보입니다.

감정 표현을 잘 하지 않던 나경이는 '의사, 바리스타, 체육 선생님'의 직업을 실천하며 차분 왕, 믿음 왕, 공감 왕, 도움 왕 등 7번 용왕의 자리에 올랐습니다. 뿌듯한 경험들이 쌓여 이제는 친구들을 돕는 일이 가장 재미있다고 이야기합니다. 점심시간이면 도움반에 놀러 가 예슬이와 놀아주고 알뜰살뜰 예슬이를 챙깁니다. 3월 초 무관심하던 모습을 떠올리면 놀라운 변화입니다.

▲학교에 남아 청소하는 봉사왕 ▲예슬이를 챙기는 차분왕 나경이

매일 교실 밖을 뛰쳐나가던 예슬이는 아이들이 자신을 챙겨주고 좋아한다는 사실을 깨달은 후부터 마음의 안정을 찾았습니다. 교실 밖을 뛰쳐나가는 횟수도 줄었으며 친구가 다치면 "아파? 걱정돼." 라며 자신의 마음도 표현했습니다. 예슬이도 '탐정, 디자이너'의 역할을 맡아 자신의 장점을 살려 직업놀이에 참여하였습니다. 예슬이가 직접 직업을 선택하고 그것에 맞게 활동하는 것은 어려운 일이라 아이들의 응원과 격려로 끝까지 참여할 수 있었던 것 같습니다.

아이들은 우리 반을 '편안하고 아늑한 장소'로 기억합니다. 누구나 인정받는 기회가 있는 교실. 서로를 믿고 성장하는 교실. 직업놀이의 가장 큰 가치는 같이 앞으로 나아가는 것 아닐까요?

제6화

학생의 태도를 변화시키는 마법

꼬북샘, 경남, 2년 차

"작년 선생님이 훨씬 좋은데... 저 반 가고 싶다!"

모교에서의 기간제 1년이 지나고 정식 발령을 받았습니다. 태어나서 한 번도 와본 적 없는 지역, 한 학년에 10개 반이 넘어가는 큰 학교, 신규 발령 동기가 10명이 넘는 독특하고 낯선 구성원... '낯선 것들이 산더미인 이곳에 잘 적응할 수 있을까?' 라는 두려움과 '올해 잘 버텨보자!' 라는 설렘도 함께 했습니다.

첫날, 생각보다 멋진 아이들을 만난 것 같아 기분이 좋았습니다. 올해 재미있겠다고 생각하던 중, 한 여학생의 이야기가 들렸습니다.

"작년 반 선생님이 우리 옆 반인데, 그 반은 지금 놀이도 할텐데... 작년 선생님이 훨씬 좋은데... 저 반 가고 싶다!"

하필이면 옆 반에 작년 담임 선생님이 계셔서 더 마음이 많이 갔나 봅니다. 마음은 이해되지만, 만난 지 얼마 되었다고 저와 작년 담임 교사를 비교하는 믿음이의 말에 당시에는 너무나도 속상했습니다. 교사와 친구들에 대한 예의를 이야기한 덕에 그 후로는 비슷한 말을 직접 들은 적이 없었으나, 학부모님을 통해 아이의 마음을 듣게 되었습니다. 작년 학급은 놀이를 많이 하여 즐거워했고 친구들과도 잘 어울려서 1년을 즐겁게 보냈으며, 가정에서도 작년 선생님이 좋고, 지금은 학교 가기 싫다고 말한다는 이야기를 들었습니다. 그날부터 제 올해 목표 중 하나는, 믿음이가 우리 반을 떠날 때 아쉬움의 눈물을 보이도록 반을 사랑하게 만드는 것이 되었습니다.

"이제는 학교 가기 싫다고 말하지 않아요."

가끔은 열정적이지만, 가끔은 "하기 싫다."라며 활동에 부정적 반응을 보이던 믿음이가 직업놀이를 시작하고는 점차 바뀌었습니다. 다양한 직업에 도전하고, 봉사심이 요구되는 재활용 장인(분리수거), 환경미화원(교실 청소), 칠판 관리사와 같은 직업들에 참여하며 학급을 위해 봉사하는 모습이 돋보였습니다. 학기 중에는 매일 8시 전에 등교하여 학급을 미리 청소하고 날짜, 시간표를 바꾸는 등 학급의 하루 시작에 중요한 역할을 해주었습니다. 안전 문제 발생이 우려되어 8시 이후 등교하기로 약속하였으나, 8시 이후에 등교해도 우유를 가져오는 등 학급을 위한 봉사는 멈추지 않았습니다. 2학기 상담에 학부모님께서 "믿음이가 이제는 학교 가기 싫다고 말하지 않아요."라고 말씀해 주셨습니다. 정말 다행이었습니다.

졸업식이 2월이라 아직 믿음이의 속마음은 다 알지 못하지만, 종종 내비치는 속마음은 '우리 반 좋다'로 보이며, 지금은 누구보다 학급의 일에 열심히 참여하는 아이가 되었습니다. 학급에 정을 붙이지 못하는 아이도 우리 학급에 녹아들게 만드는 마법 같은 직업놀이 덕분에 믿음이와 행복한 시간을 보내고 있습니다.

■ 학년 말 믿음이의 직업목록

학급 공무원, 학급 은행원(회계팀), 학급 은행원(환전팀), 재활용 장인, 환경 미화원, 성장 지킴이, 에너지 지킴이, 칠판 관리사, DJ, 엔지니어, 스포츠 기획자, 홍보팀, 아이템 가게 매니저, 헤어 디자이너, 마음 변호사, 종이접기 선생님, 일러스트 작가, 소설가, 카메라 감독, 학급 의원, 댄서

"수업 시간에 계속 이상한 소리를 내서 불편해요."

저희 반에는 투레트 증후군을 앓고 있는 아이가 2명 있습니다. 그 중 행복이는 덩치가 크고, 음성 틱과 운동 틱이 시기별로 번갈아 나타나며, 약을 먹지 않고 있습니다. 학년 초, 음성 틱과 운동 틱이 1년 이상 지속되는 경우를 투레트 증후군이라고 한다는 것도

몰랐던 저는 틱장애를 앓고 있는 아이를 만난 게 처음이라 걱정이 앞섰습니다. 제 걱정을 키운 건 행복이의 행동이었습니다. 행복이는 평소에는 잘 행동하면서도, 쉬는 시간에는 사물함 위에 드러누워 있거나, 의자를 머리 위로 들고 있거나, 욕을 하는 등 과격한 행동을 보이기도 했습니다.

어느 날 자리를 바꾼 지 얼마 되지 않아 행복이의 짝이 저를 찾아와 이야기하였습니다. “수업 시간에 계속 이상한 소리를 내서 불편해요.” 학년 초 행복이의 틱 증상은 “엉- 크”를 반복하며 소리 내는 것이었고, 행복이가 투레트 증후군을 앓고 있는지 모르던 짝 아이는 그게 불편했던 겁니다. 행복이와 부모님의 동의하에 행복이가 화장실을 간 사이, 투레트 증후군이 있다는 사실을 학급 아이들에게 이야기했습니다. 눈치채고 있던 아이도, 모르고 있던 아이들도 있었으나 다행히도 이해하고 함께하자는 분위기였습니다. 그렇게 행복이의 투레트 증후군 증상은 놀림의 대상도, 혐오의 대상도 아닌 본인이 어떻게 할 수 없는 증상으로 인식되었습니다. 그러나 행복이의 문제 행동들은 아이들이 행복이를 피하게 했습니다. 행복이의 행동 교정과 행복이에 대한 아이들의 인식 변화가 필요했습니다.

인성왕, 팀장 임명으로 긍정적 인식 퍼뜨리기

행복이에 대한 긍정적 인식을 퍼뜨리기 위해 첫 인성왕은 행복이로 선정했습니다. 문제 행동의 빈도가 줄었으며, 직업 활동도 열심히 참여하는 것을 이유로 이야기했습니다. 첫 인성왕에 본인이 뽑힐 거라 기대하지 않았는지 행복이는 진심으로 기뻐했습니다. 그 후 행복이의 문제 행동은 확연히 줄어들었으며, 인성왕 선정을 누구보다 기다리는 아이가 되었습니다.

그러던 9월, 행복이는 아나운서팀장으로 임명되었습니다. 팀장이라는 사실 자체로도 행복해하며 친구들에게 자랑하는 행복이가 정말 귀여웠습니다. 그렇게 행복이는 인성왕으로 선정되기 위해, 직업 팀장이 되기 위해 바르게 행동하고 열심히 참여하는 아이로 바뀌었습니다.

▲인성왕 행복이 ▲아나운서팀장 행복이

행복이 무대에 서다!

100일 파티에도 장기 자랑에 나가 노래를 불렀던 행복이, 학예회에서도 학급의 무대를 밝혀주었습니다. 학예회 때는 긴장된다며 인형을 가져와 안고 노래를 불렀습니다. 가수 김장훈의 노래에 꽂혀있던 시기라, 김장훈 노래로 멋진 가창력을 뽐내주었고, 아이들의 환호를 받았습니다. 300일 파티에는 가수로서 '이젠 안녕'을 부르며 아이들의 떼창을 유도하는 여유를 보여주기도 하였습니다. 멋진 무대를 뽐내며 '노래=행복이'라는 인식이 생기기도 하였습니다.

▲학예회에서 인형 들고 노래하는 행복이

▲ 300일 파티에서 인형 없이 노래하는 행복이

행복을 찾아가는 행복이

그렇게 행복이는 주말에도 함께 게임을 하는 친구들이 더 많이 생겼으며, 다른 친구들과도 원만한 관계를 유지 중입니다. 투레트 증후군 증상이 사라지게 하는 것은 불가능하지만, 아이가 즐거운 학교생활을 하도록 도와주는 것은 가능했습니다. 행복이는 아나운서 외에도 가수, DJ, 탐정, 환경미화원 등 다양한 직업 활동에 참여하며 자신을 학급에서 필요한 사람으로 만들었습니다. 그렇게 행복이는 직업놀이를 통해 행복을 찾아가며 성장하고 있습니다.

제7화

생각하는 것 그 이상의 힘

리미샘, 경기, 2년 차

희망이가 희망을 가질 수 있도록

2022년 12월, 6학년을 맡기로 하면서 가장 걱정이 되었던 부분은 학습 결손이었습니다. 3, 4학년을 코로나 시기로 보내면서 중요한 학습이 안 되어있는 아이들이 참 많았기 때문입니다. 작년에 5학년을 맡고 연임을 하기로 했기 때문에, 아이들의 학습 수준을 잘 알고 있어 걱정이 더욱 컸습니다. 학급의 반 이상이 알파벳을 잘 쓰지 못하고, 5명 정도를 제외하고는 파닉스도 잘 모르는 상황에 3월 한 달을 3~4학년 복습으로 보냈습니다.

특히, 희망이는 6학년임에도 구구단이 안되고, 자신의 의견을 완성된 문장으로 표현하는 것이 어려운 아이였습니다. 제가 희망이의 반을 맡게 되었다는 것을 알게 된 2023년 2월, 직업놀이를 계획하면서 가장 신경 썼던 점은 '소극적인 희망이도 참여할 수 있는 직업놀이 만들기'였습니다. 희망이의 작년 담임 교사께서 조언해 주신 바로는, 희망이는 친구들과 함께 놀고 싶어도 자기 의사를 쉽게 표현하기가 어렵고, 모르는 내용도 먼저 질문하지 않는 아이였습니다. 이러한 희망이도 흥미를 느끼며 참여할 수 있도록 하는 '마중물'이 필요하다고 생각했습니다. 수진샘의 <교실 속 직업놀이> 책을 읽으며 우리 학급에 적용할 수 있는 방법을 고민하였습니다.

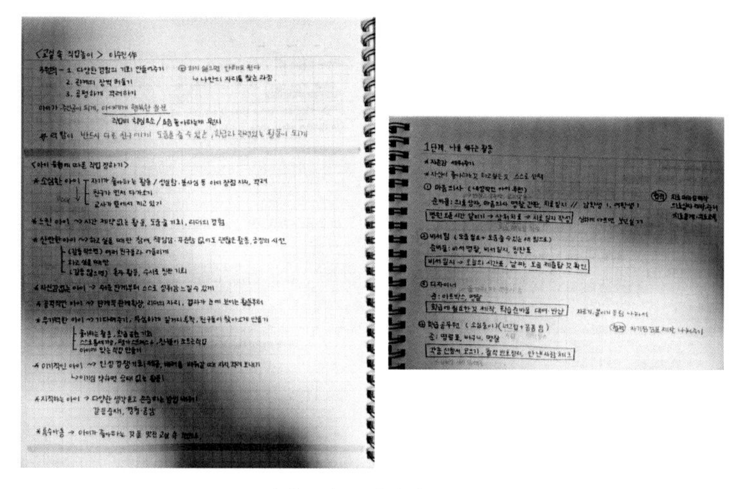

▲ 직업놀이 준비하기

그렇게 찾아온 3월 2일, 아이들에게 직업놀이를 학급에서 운영할 것이라는 안내를 했습니다. 신기하다며 눈을 빛내는 아이들 사이에 희망이도 있었습니다. 본격적인 도입에 앞서, 3월 둘째 주에 '직업놀이 인턴 기간'을 운영했습니다. 가장 해보고 싶은 직업 한 가지를 선택해 인턴처럼 체험해 보고, 정식 기간까지 이어갈지 선택할 수 있는 제도였습니다. 직업놀이가 아직 낯설 아이들에게 흥미를 주고, 저 역시 직업놀이를 운영하면서 어떤 점들이 필요할 것인지 파악하기 위한 기간이었습니다.

사실 인턴 기간에는 희망이가 큰 흥미를 보이진 않았습니다. 공기놀이와 보드게임의 심판이 되는 '공정 심판'의 인턴을 신청했는데요. 다른 공정 심판들은 놀이 중인 아이들에게 다가가 먼저 심판이 필요하냐고 물었지만, 희망이는 멀리서 바라만 보고 있었습니다. 희망이가 감사 통장에 한 줄도 적지 않고 인턴 기간이 마무리되어서 저는 고민에 빠지게 되었습니다. 아무래도 순서가 돌아오거나 해당 요일에 자동으로 참여할 수 있는 직업놀이를 준비해서 희망이를 비롯한 아이들이 부담을 느끼지 않게 해야겠다고 생각했습니다. 정식 기간 시작 전, 다음 사항을 아이들에게 안내했습니다.

■ 우리 학급에서 직업놀이를 할 때 기억할 점

1. 능숙하지 못해도 괜찮다. 우리 모두 처음이니 실수한 친구를 비난하지 않는다.
2. 내가 이 직업과 맞지 않는다면 부담 없이 그만해도 된다.
3. 자신이 하고 싶은 직업은 개수 제한 없이 얼마든지 신청하고 참여할 수 있다.

거듭되는 강조 후 쉬는 시간, 학급 아이들 대부분이 신청 게시판 앞에 모였고, 희망이도 함께였습니다. "그럼 하고 싶은 거 일단 다 해볼까?" 제가 바라던 그 말이 여러 아이의 입에서 들리며 저는 미소를 지었습니다. '오케이. 계획대로군.'

아이들이 모두 하교한 후, 직업놀이 신청 게시판을 확인했습니다. 목록을 정리하니, 총 35개의 직업 중 많게는 28개를 신청한 어린이도 있었고, 한두 개 정도 신청한 어린이도 있었습니다. 희망이는 7개의 직업에 신청했습니다. 인턴 기간부터 했던 공정 심판도 있었지만, 무엇보다 가장 놀라웠던 것은 '아나운서'였습니다. 아나운서는 수업 곳곳에 등장하는 상황극의 대사를 실감 나게 읽는 직업입니다. 완성된 문장을 읽는 것이 어려운 희망이가 선택했다는 것이 기특하면서도 아이들은 제가 생각하는 것보다 훨씬 더 욕심이 있고, 마음의 힘을 가지고 있다는 것을 깨달았습니다.

아나운서를 신청한 아이들은 모두 6명이었고, 아이들끼리 상의를 거쳐 순번제로 진행하기로 했습니다. 처음 희망이의 차례가 되었을 때, 희망이는 눈치를 보며 읽기를 머뭇거렸습니다. 짝이 어디를 읽어야 하는지 짚어주고, 저도 괜찮다는 눈빛을 보냈습니다. 희망이는 더듬더듬 문장을 읽었습니다. 다른 아이들이 읽을 때보다 배로 오래 걸렸지만, 반 아이들은 그 누구도 재촉하지 않고 희망이가 문장을 모두 읽을 때까지 경청하며 기다렸습니다. 희망이의 첫 아나운서 직업 수행이 끝나고, 어디서부터 시작되었을지 모를 박수가 터져 나왔습니다.

학생1: “희망아, 잘했어!”
학생2: “우린 얼마든지 기다려줄 수 있어!”

일 년 동안 희망이는 아나운서를 그만두지 않았습니다. 처음에는 다소 긴장한 모습을 보이기도 했지만, 갈수록 유창하게 읽으며 연기까지 가미하는 모습은 박수를 자아냈습니다. 문장의 의미를 이해하며 읽을 수 있게 된 희망이를 보며 직업놀이가 주는 희열을 느꼈습니다. 제가 “자, 공부 시간이다! 문장 하루에 열 개씩 읽어!”라고 했다면 희망이는 절대 흥미를 붙이지 못했을 것입니다. 하지만 자발적으로 아나운서라는 직업을 선택하여 문장을 읽으니 자기 차례가 언제 오나 기다리며 더 재미있게 참여할 수 있었습니다. 희망이에게 6학년 한 해 동안 참여한 직업놀이는 자신감의 원천이자 공부의 기회가 되었을 것입니다. 그것도 아무도 시키지 않은, 자신이 직접 선택한 직업으로부터 얻었다는 점이 희망이에게 보이는 것 그 이상의 성장을 가져왔으리라 믿습니다. 중학교라는 낯선 곳일지라도, 희망이가 희망을 품고 2023년의 기억을 떠올리며 새로운 일에 부딪혀보고, 자신감을 가질 수 있길 바라봅니다.

제 8 화

함께 자라는 아이들

규니샘, 인천, 25년 차

ADHD로 관계 맺음이 어려운 이룸이의 '자람' 이야기

1. 2월: 운명처럼 다가온 이룸이와의 첫 만남

6학년 담임이 되어 두근거리는 마음으로 새로운 학급을 만난 2월, 6학년에 4명의 전입생 명단이 도착했어요. 2명씩 나눠 가져야 하는 상황에서 노란 포스트잇에 'ADHD 치료 중'이라는 메모가 붙여져 있는 이룸이를 선택했어요. 이룸이와의 만남은 어쩌면 '선택'으로 시작되었지만 '운명'이 아니었나 싶어요. 처음으로 ADHD라는 꼬리표를 달고 있는 친구를 만나는 거라서 3월 2일 만남을 준비하며 마음의 준비를 했어요. 제가 이 친구를 피할 수도 있었는데 선택한 이유는 2022년도에 직업놀이를 1년하며 서로 아껴주고 도와주는 아이들의 모습에 올해도 직업놀이와 함께 한다면 그 어떤 어려움도 아이들과 해결할 수 있을 거라는 막연한 기대와 믿음 때문이었어요. 하지만….

2. 3월: 자주 울고 소리치는 이상한 아이

갑자기 소리를 지르고 울고…. 수업 시간에는 엉뚱한 소리를 하는 이룸이 때문에 새 학년이 시작된 지 1주일 만에 어머님께 전화했어요. 묵묵히 제 이야기를 듣던 어머님. 다 알고 있다는 듯이 차분하게 아이에 대해 이야기하십니다. 그러고는 그저 죄송하다는 말만 계속하셔서 마음이 아팠습니다. 저 또한 두 아이의 엄마이기에 엄마로서 이런 종류의 전화를 매해 교사들한테 받았을 거고. 그럴 때마다 죄인인 양 머리를 조아리셨을 그분의 마음을 생각하니 마음 한쪽 편이 저렸어요.

아이들도 조금씩 이룸이에 대한 불만을 털어놓기 시작했어요. 아이들에게 이룸이가 ADHD라는 이야기를 할 수 없으니 아이들에게는 지각하는 친구들, 쉼 없이 떠드는 친구들처럼 이룸이도 마음과는 달리 그동안 고치고 싶어도 고치기 힘든 습관 같은 것이라고 이해를 구했지만 쉽지 않았습니다. 아직 서로에 대해 잘 모르는 상태라 아이들도 아주 힘들었을 거예요. 학부모 총회에 오신 학부모님이 '도움반' 친구가 있다고 들었다며 이룸이를 오해하기도 하셨어요.

3. 4월: 직업놀이를 시작하며 달라지기 시작하는 아이들

그 누구보다 배려와 공감을 강조하는 저이기에 아이들 사이에 갈등이 생겼을 때 이런 점에 중점을 두어 지도했습니다. 그러면서

직업놀이를 본격적으로 시작하게 되었고 직업놀이 특성상 서로와의 밀접한 관계 맺음이 중요한 터라 아이들도 싫으나 좋으나 이룸이와 말을 하고 이룸이와 함께 생활하는 시간에 조금씩 익숙해지기 시작했어요.

'유치원생'같이 행동한다며 이룸이를 불편해하는 남자 친구들도 여전히 많았지만, 여자 친구들은 이룸이를 '이해'해 주며 동생을 대하듯 챙겨주기 시작했어요. 다른 사람의 마음을 읽는 데 미숙한 이룸이는 그런 남자 친구들을 불편해했고 자신을 챙겨주는 여자 친구들을 좋아하기 시작했어요. 여전히 마음에 들지 않으면 소리치고 울고 짜증을 냈지만, 우리는 서로에게 조금씩 익숙해지기 시작했어요.

4. 5월: 직업놀이를 좋아하는 이룸이

조금씩 직업을 늘려 가며 직업놀이를 하고 있는데 이룸이도 일을 하고 싶어 해서 이룸이가 할 수 있는 일을 안내해 줬어요. 이룸이는 우리 반에서 '안전보안관'으로 문을 여닫는 일을 했어요. 하지만 자기가 문을 못 닫고 다른 친구들이 닫으면 울고 소리치는 일이 자주 생겼어요. 같은 일을 하는 아이들이 양보하는 모습이 조금씩 보이기 시작했어요. 이룸이가 좋아하는 또 하나의 일은 '아나운서'였어요. 수업 시간에 아나운서들이 책을 읽었는데 자존감이 강하고 표현활동을 좋아하는 이룸이는 책 읽기를 할 때 생동감 있는 목소리로 키워드를 강조해 가며 실감 나게 책을 잘 읽었어요. 일부러 아이들 앞에서 이런 이룸이를 칭찬했답니다. 거의 매일 아나운서 일을 하며 즐겁게 직업놀이에 참여했어요.

수진샘의 직업놀이 가이드에서 수학박사와 같은 꼬마 선생님 직업은 2학기에 시작하는 것이 좋다고 했는데 과감하게 1학기에 시작한 수학박사 직업이 하는 일 중 하나가 지난 차시 복습이었는데 이룸이가 수학박사 일을 열심히 하던 때가 있었어요. 친구들이 잘 알아듣지 못해도 일타강사처럼 열심히 설명하는 이룸이의 모습이 너무 예뻐 보였어요. 뭐든 열심히 하려는 그 친구가 기특했답니다.

5. 6월: 위기! 그리고 평화!

다른 반에 비해 서로 아껴주고 이해해 주는 모습이 많이 보였던 우리 반이었지만 여전히 소리 지르고 여전히 자기만 알고 다른 사람을 배려하는 게 어려운 이룸이를 불편해하는 친구들이 많았어요.

6월에 계획된 에버랜드 체험학습! 코로나로 제대로 된 체험학습을 가지 못했던 아이들은 첫 체험학습에 대한 설렘과 기대감에 한껏 들떠있었어요. 아이들의 의견을 많이 들어주려고 노력하는 편이라 에버랜드에서 함께 활동할 모둠을 아이들이 원하는 친구들로 구성하고 싶다는 아이들의 뜻을 존중해 줬지요. 아무도 이룸이랑 같은 모둠을 하지 않을까 걱정이 되었어요. 하지만 제 걱정이 무색할 정도로 이룸이는 제 모둠을 찾아갔답니다. 평화롭게, 즐겁게, 무사히 에버랜드 현장학습을 마쳤답니다.

6. 7월: 속 깊은 따뜻한 이룸이

우여곡절이 많은 1학기가 끝나가고 있었지요. 이룸이가 조금씩 성장하는 모습이 보였어요. 갑자기 절 향해 손 하트나 '사랑해요'라는 말해주던 이룸이. 급식 시간 줄을 설 때 '맛있게 드세요.'라고 말하는 이룸이. 짜증이 나도 조금씩 덜 울고 덜 소리를 지르는 모습으로 변하고 있었어요. 여전히 엉뚱한 소리를 하고 친구들의 마음을 읽지 못해서 친구들을 기분 나쁘게 했지만, 친구들도, 이룸이도, 저도 조금씩 익숙해지기 시작했어요.

여름 방학식 날 마지막 급식을 먹은 후에 제게 다가온 이룸이는 갑자기 큰절하며 "그동안 감사했어요, 선생님. 방학 잘 보내세요." 라고 해서 절 울컥하게 했어요.

7. 2학기: 무르익는 아이들의 사춘기 그리고 이룸이와의 갈등

서로 조금씩 익숙해졌지만 이룸이의 불편한 행동은 계속되었고 이런 이룸이의 행동들에 대해 불만을 표현하는 아이들이 점점 많아졌어요. 평화로운 학급을 만들고 싶었던 제 바람은 조금씩 흔들리게 되었죠. 2학기가 되며 사춘기에 접어들어 까칠하고 예민한 아이들이 늘어나며 이룸이와의 갈등이 극에 달하기도 했어요. 소리치고 짜증 내는 이룸이에게 더 큰소리를 치는 아이들, 이에 지지 않고 더 짜증을 나타내던 이룸이. 하루하루가 살얼음판을 걷는 시간이 이어지기도 했어요. 이룸이로 인해 스트레스를 받는다는 아이를 대신해서 저에게 상담 요청하신 어머님도 계셨어요. 힘든 시간이었지만 다른 교사들이 입을 모아 이야기를 하셨어요. 그래도 '1반' 친구들이니까 갈등이 이 정도에서 그치는 거라고요. 이런저런 일로 힘겹고 바쁜 나날을 보내던 전 곰곰이 생각해 봤어요. 아이들

도 이해가 되고 이룸이는 안쓰럽고…. 결국 아이들에게 다시 한번 이해를 구하기로 마음먹고 진심으로 아이들에게 이룸이의 입장에 관해 설명하고 졸업까지 서로 노력하자고 부탁했어요. 이룸이에게도 친구들의 처지를 이해해 보자고 격려했어요. 조금씩 얼굴 가득 불만이었던 아이들의 표정이 바뀌는 것이 보였죠.

8. 졸업: 함께 성장한 아이들과 이룸이

서로에게 힘겨운 1년이었지만 전 이룸이도, 아이들도 저 자신도 이룸이를 만나지 못했다면 하지 못했을 결이 다른 자람을 했다고 믿어요. 직업놀이를 함께 하는 동안 서로 배려하고 이해하는 경험을 통해 서툴지만 조금씩 다른 사람과 관계 맺음을 하며 상대방을 이해하는 마음의 크기가 자랐다고 생각해요. 앞으로 이룸이가 맞이할 하루하루 조금씩 다른 사람들의 감정에 관심을 가지고 친구들과 행복하게 지냈으면 좋겠어요. 아니, 제가 선택한 제 운명 '이룸'이는 꼭 그런 사람이 될 거라 믿어요.

제9화

아이 한 명 한 명이 성장하는 직업놀이

이스마일샘, 충북, 2년 차

소극적인 아이가, 주도적인 아이로! 성장형 직업놀이

서하의 첫인상은 체구가 작고 조용한 남자아이였습니다. 친한 친구들이 전학을 가고, 가까운 친구들과 같은 반이 되지 않아서 긴장하고 주눅이 든 모습이 많이 보였어요. 또한 체육을 선호하지 않아 남자아이들과 깊은 라포 형성이 되지 않는 아이였죠.

마스크를 잘 벗지 않고, 빠진 앞니에 대한 부끄러움 때문인지 급식실에서도 마스크 안으로 음식을 넣어 먹는 모습이 보였습니다. 1학기 때 쉬는 시간에 친구들과 놀지는 않고 가만히 앉아있는 모습이 종종 보였답니다. 그래서 제가 서하에게 다가가서 이것저것 궁금한 점들을 물어봤어요. 관심사가 무엇인지, "선생님이 직업놀이라는 것을 하려고 하는데 미리 이야기 들어볼래?"라는 말도 했어요. 교사와 비밀이야기를 나눈다는 생각에 서하는 마음을 열었고, 제게 와서 주말에 있었던 일이나 자신의 관심사, 직업놀이에 대한 궁금증을 마구마구 이야기하기 시작했습니다. 학기 초에 정신이 없어서 직업놀이 도입을 미뤘을 때가 있었어요. 그때 서하가 "선생님 저 직업놀이 기다리고 있어요. 쉬는 시간에 심심해요."라는 이야기를 해줬어요. 아이가 기다리고 있다는 생각에 준비 없이 일단 시작해 보자는 마음으로 한 것이 직업놀이 학급경영의 시작이었습니다.

2학기 때 본격적으로 시작! 서하는 비서에 지원했습니다. 비서일지를 셀프로 만들어 오는 모습도 보였어요. 정말 기다렸다고, 좋아하던 표정이 기억에 남습니다. 서하는 디지털 기기에 관심이 많았습니다. 학교에 구비된 디지털 기기를 빌려서 태블릿으로 문서나 이미지를 생성하기도 했습니다. 덕분에 디자이너, 비서, 태블릿기기 관리자, 디지털 선생님, 음악 DJ 등 다양한 직업에 자신의 관심 분야를 살려서 다채롭게 직업놀이 활동을 했습니다. 디지털 기기 관리자로 반 친구 중 개인 태블릿 수업 기기 '이로미'를 놓고 온 친구들이 있으면 수량을 파악하고 디지털실에서 여분의 태블릿기기를 구해온다거나, PPT 활용 수업 때 다른 친구들 알려주는 역할, QR코드로 와이파이 연결하는 방법을 알려주는 일, 텔레비전 미러링을 이용해서 친구들의 작품을 TV 화면으로 볼 수 있게 하는 등의 활동을 했습니다. 또, 서하가 즐겨하던 직업 중 음악 DJ로서의 활동은 친구들의 음악 리스트를 미리 컴퓨터에 깔아 놓거나, 강당에서 체육을 진행할 때 강당 스피커로 송출되게 배경음악을 세팅해 주는 중요한 역할을 해주었습니다.

그러다 보니 아이의 자존감이 높아지는 것이 보였습니다. 성실한 서하의 모습을 보고 반 아이들도 간접적으로 좋은 영향을 받았습니다. 열심히 하고 자신의 관심사에 몰입하며 개성 있고 자존감이 높은 모습을 가지고자 하는 반 아이들이 많아졌습니다. 학기 초에 비해 서하의 개인 의견에 대한 집중도도 올라갔습니다. 또한 긍정적인 자아개념이 올라가면서 자신을 불편하게 하는 상황을 대화를 통해 해결할 수 있게 되었습니다. 그것을 바탕으로 서하 스스로부터 남을 대할 때도 예의를 갖추고 말을 함부로 하지 않으려고 노력하며 인성적 측면의 성장도 저절로 이루어졌습니다.

직업놀이로서의 활동뿐만 아니라 모든 일에 적극적으로 변한 서하였습니다. 교실 환경을 더욱 편하게 바꿀 방법을 제안하기도 했습니다. 보드마카와 자석으로 음악 적는 칸과 지우개 놓는 곳까지 지정해서 편리하게 만들어 놓았습니다. 발명가, 교실환경계획자라는 새로운 직업을 스스로 만들기도 하였지요. 또한 학기 말 연극 수업을 할 때도 열심이었습니다. 연극에서 촬영감독 및 영상편집자 역할을 자원하여 멋진 연극 영상을 만들어 상영하기도 했답니다. 할 일을 스스로 찾아서 해내고 인정을 받고 자존감을 높이는 경험을 하게 된 것 같아 다행이라고 생각했습니다.

서하가 직업놀이 시작하기 전에는 반에서 존재감이 크게 드러나지 않았습니다. 하지만 어느새 우리 반에 꼭 필요한 존재로 인식되는 아이가 되었습니다. 집에 서하로봇을 하나씩 두고 싶다고 말하는 친구들도 있었습니다. 학기 말 상상 동창회 활동에서 '나중에 삶을 멋지게 살아갈 것 같은 친구'로 서하를 꼽는 친구도 많았습니다.

서하에게 직접 1년간의 학급 살이 소감을 물어보았습니다. 서하는 단연 직업놀이가 너무 좋다고 웃으며 말했습니다. 솔직히 친구들과는 어색했는데, 선생님을 만나고, 직업놀이를 하게 되어 5학년 생활을 좋게 기억할 수 있었다고 말해주었습니다. 더 이상 마스크를 벗은 모습에 쑥스러워하지 않게 되었고, 이루고 싶은 꿈을 더 구체화하였다고 했습니다. 선생님과 만나 직업놀이를 하게 되어 5학년 생활이 즐겁다는 기분 좋은 이야기도 들려왔습니다. 특히 자존감이 높아지고, 친구 관계에 크게 휩쓸리지 않고 하고 싶은 것을 하게 된 것이 좋았다고 합니다. 직업놀이는 서하의 단단하고 긍정적인 자존감을 쌓아 올려주었습니다.

memo

제10화

사랑아, 너도 할 수 있어!

꾸물꾸물샘, 경기, 2년 차

도움반 아이도 우리 반의 소중한 친구야

사랑이는 1학년 도움반 아이입니다. 사랑이는 발달장애가 있고, 가끔은 흥분해서 소리를 지르거나 울고 있습니다. 친구와 아주 간단한 소통은 가능하며 수업을 따라오기는 어려워합니다. 보통 수업 시간에도 앉아서 그림 그리기만 합니다.

학교가 처음인 아이들은 사랑이를 어떻게 대해야 하는지, 왜 그런 행동을 하는지 의문이 가득합니다. '우리 교실 속 모두는 소중하다'라는 우리 반의 급훈처럼 사랑이가 친구들과 소통도 하고, 우리 반의 아이라는 소속감을 느껴 학교의 적응을 잘하기를 바랐습니다.

사랑이는 문에 집착하는 특성이 있었고, 문지킴이라는 직업을 만들었습니다. 쉬는 시간에 앞문과 뒷문을 닫아주고, 실수로 친구가 문을 열고 다니면 도움을 주는 역할입니다. 문지킴이의 직업은 사랑이 행동의 정당성을 부여했고, 사랑이는 자신이 좋아하는 일을 직업으로 하여 우리 반을 도와줄 수 있었습니다.

여름에는 시원하게 겨울에는 따뜻하게 교실을 지켜주는 문지킴이님에게 친구들은 고마움을 느꼈습니다. 사랑이도 친구들에게 "초롱아, 문을 닫고 다녀야 해. 문을 닫아 줄래?"와 같이 문지킴이로서 친구에게 먼저 이야기를 건네는 모습을 보았습니다. 항상 우는 모습으로 자신의 감정을 표현하던 사랑이가 친구의 이름을 외우고, 다정하게 대화하기 시작했습니다.

주변 친구에게 관심을 가진 사랑이의 특성을 살려 2학기에는 '칭찬 대마왕'이라는 직업을 만들었습니다. 칭찬 대마왕은 수업 시간에 선생님이 "칭찬해주세요~"하면 교실을 한 바퀴 돌며 수업을 열심히 듣는 친구들에게 "잘했어, 최고!"와 같은 칭찬을 해주는 직업입니다. 처음에는 사랑이의 칭찬에 친구들이 어색해했지만, 점차 "사랑아 나도 칭찬해 줘~ 나 다했어."와 같이 사랑이의 칭찬을 기다리는 친구들이 늘어났습니다.

더 이상 사랑이는 수업 시간에 앉아서 그림만 그리지 않습니다. 친구들에게 칭찬도 하고, 대화하고, 말을 건넵니다. 2가지의 직업은 친구들이 사랑이를 이해하는 시작점이 되었고, 학년말에는 '소중한 우리 반 사랑이'로 반 친구들과 자연스럽게 어울렸습니다.

제11화

우리 교실에서 너의 마음이 편안하길

토심이샘, 서울, 5년 차

교실이 불편한 학생

준이는 첫날 교실에 등장하면서부터 눈에 띄는 학생이었습니다. 쉴 새 없이 조잘거리며 작은 일에도 신나 하며 소리를 지르던 준이. 수업 시간에 지적을 자주 받고는 했던 준이는 활발하고 밝은 모습과는 다르게 지적받을 때 종종 눈물을 보이고 저의 눈치를 자주 보는 마음이 여린 아이였습니다. 그래서인지 준이는 의외로 자신감이 매우 부족하고 스트레스가 많았습니다. 자기 행동에 대한 친구들의 반응을 민감하게 받아들였고 이 때문에 다른 친구들과 꽤 자주 갈등을 일으키는 학생이었습니다. 이런 스트레스로 인해 복통, 두통 등 신체화 증상도 나타나 보건실에 자주 가곤 했습니다. 준이가 보건실에 너무 자주 가서 보건 선생님께 전화를 드렸더니 “교실에서 스트레스를 너무 많이 받는 것 같아요. 보건실에 와서 잠시나마 혼자 조용히 있으면서 잠시 숨 쉴 틈을 주면 좋을 것 같아요.”라고 하셨습니다. 이 말을 듣고 저도 충격을 받았습니다. 우리 반에 교실이 불편한 학생이 있었다니….

준아, 우리가 함께 도와줄게!

그래서 준이가 좋아하는 체육 과목을 활용해서 준이가 교실에서 조금이나마 마음이 편해질 수 있도록 도와주고 싶었습니다. 일주일에 2~3번 있는 체육 시간이지만 그 시간만큼은 준이의 마음이 편안했기를 바랐습니다. 준이는 ‘스포츠 기획자’로 활동하며 다른 스포츠 기획자들과 함께 체육 수업을 준비하였습니다. 준이는 정말 성심성의껏 수업을 준비해왔습니다. 저도 깜짝 놀랄 정도로 열심히 수업을 준비할 정도였습니다. 너튜브를 뒤져 우리 반 학생들이 좋아할 만한 활동을 2~3개씩 찾아오면서 “A 활동을 한 뒤에 시간이 남으면 B나 C 활동을 하면 될 것 같아요.”라고 말했습니다. 평소 숙제나 준비물을 잘 챙기지 않았던 준이의 새로운 모습에 모두 감탄하곤 했습니다.

사실 스포츠 기획자를 준이에게 맡기며 내심 불안한 마음도 들었지만, 그 불안함이 무색하게도 자신의 역할에 최선을 다하는 준이의 모습을 보며 저 자신도 느끼는 바가 많았습니다. 직업놀이를 하며 격려 통장(학급 보상)제도도 함께 활용했습니다. 이때, 준이가 잘 활동할 때마다 격려 통장에 도장을 아끼지 않고 찍어주었습니다. 정말 작은 도장 하나이지만 도장을 찍어줄 때마다 준이가 기뻐하고 뿌듯해하던 모습을 잊을 수가 없습니다.

특히 저의 눈치를 보고는 했던 준이가 먼저 다가와 저에게 말을 걸고 장난을 치고 저에 대한 것들을 물어보고는 했을 때, 준이에게 교실이 조금은 더 편한 곳이 되지 않았을까 생각하며 저도 기분이 좋아졌습니다.

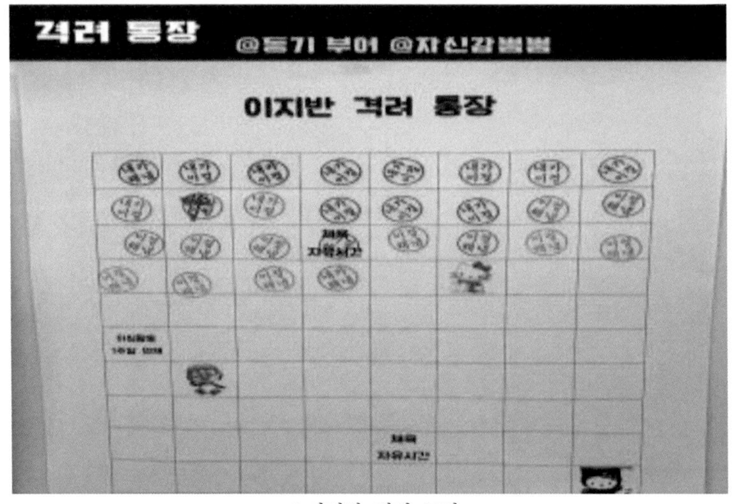

▲이지반 격려 통장

제12화

모든 아이가 교실에서 존재감을 느낄 수 있는 교실 직업생활

마중물샘, 경기, 16년 차

공평? 공정!! 우리 반은 모두가 학급임원이야

요즘 학생들은 교실에서 선생님의 부름을 받고 심부름을 하는 것을 어떻게 생각할까요? 직접 물어보지는 않았지만 많은 학생 중 자신의 이름이 선생님에게 불리었다는 것이 아직은 바라는 일 같습니다. 그러나 지금 생각해 보면 저는 다른 고민 없이, 불평의 말을 듣지 않기 위해서 공평이라는 프레임을 조금 이상하게 둘러쓰고 심부름이나 저를 도울 일이 생기면 학급 임원만 불렀고 청소는 1인 1역으로 돌아가면서 운영하였습니다.

그런데 가만 생각해 보니 해마다 2학기 중반 이후 교실에는 이상한 침체의 기운이 감돌았습니다. 1인 1역은 쉬운 것들만 학생들이 몰리고 학급 임원들은 제 입에서 어떤 미션이 떨어질지 제 입만 보고 있으며 저도 불러서 미션을 주고 싶거나 주어야 하는 학생이 있어도 잘 실천이 안 되었습니다.

경제 교실을 보고 저렇게 하면 진입 장벽이 높아서 그렇지 학생들이 스스로 교실에서 역할을 부여받고 보상도 받겠다 싶었지만 지나치게 자본의 원리에 치우치고 어려워 선뜻 해봐야지 하는 생각이 들지 않았습니다. 뜻이 있는 곳에 길이 있다고 이런 고민을 하다가 우연히 수진 선생님의 직업놀이를 알게 되었습니다. 아이 한 명 한 명이 자신의 역할을 찾자 교실 안에서 자존감을 키우며 소속감과 공동체 의식을 느끼도록 유도할 수 있는 좋은 활동이라고 생각되었습니다.

사실 하루 한 걸음이라는 생활 노트(세 줄 쓰기, 오늘의 배움, 오늘의 직업 생활 등)를 만들고 학생들에게 소개하고는 직업 생활을 세심하게 신경 쓰진 못했습니다. 그래도 학생들은 교실에서 자신의 역할을 충실히 했습니다. 최소한 작년까지 느꼈던 2학기의 침체 분위기는 온전히 사라지고 졸업전 날까지 격려를 못 받아도 자신의 직업 생활을 해야 한다며 자신의 자리에 있는 학생을 보고 느꼈지요.

우리 반에 사랑이는 난독증으로 한글 읽기가 늦고 배경지식이 또래 6학년 학생들보다 부족한 편입니다. 그래서 학습활동 시마다 제가 도움을 좀 주거나 활동의 부담을 경감시켜주는 경우가 많았습니다. 그래도 다행히 사랑이는 적극적으로 발표도 하고 학습활동이나 직업 생활에도 열심히 참여하였습니다. 우리 반 뽑기 매니저로, 음악 DJ로 말입니다. 사랑이가 음악 DJ로 점심시간에 교탁에 패드 화면을 보며 당당하게 서 있는 모습을 보면 직업놀이를 하길 잘했다는 생각이 절로 듭니다. 이런 학생들이 점차 자신감을 잃어가고 교사인 저도 고민이 깊었던 경험이 많았으니까요. '교실에서 다른 친구들을 위해 내가 할 일이 있다는 것'을 아는 것이 바로 소속감이고 이 소속감이 공동체 의식의 출발점이 아닐까요?

올해 만날 6학년들과는 조금 더 체계적으로 더 많은 학생이 적극적으로 참여할 수 있도록 유도해보려고 합니다. 문화적 직업(만화가, 화가, 디자이너 그룹 등)의 활약이 있으면 더욱 재밌는 추억을 많이 남겼을 텐데 완성도와 작업에 대한 부담감 때문이었는지 지원자가 없어서 내내 아쉬웠습니다. 제가 할 일은 학생들이 직업 생활을 통해 자신을 좀 더 잘 표현하고 친구들과 만날 수 있도록 '판'을 짜야 하는 일입니다. 벌써 고민스럽습니다만 이렇게 생각하다 보면 좋은 아이디어가 '끌어당김'의 작용으로 인연이 되어 만날 것을 알기에 오늘도 괴롭지만 한편 설레는 마음으로 이런저런 생각을 하며 희미한 미소를 지어봅니다.

제13화

앗, 아재 개그에 웃어버리다니

인절미샘, 경기, 5년 차.

네가 하는 건 다 좋아

6학년 규리는 친구들에게 상처가 많던 친구였습니다. 몸집이 좀 있어 아이들이 '돼지'라고 부르기도, 이름과 비슷한 과일로 놀리기도 했습니다. 그때마다 듣기 싫다는 이야기도 못 하고, 그저 무시하고 뒤에서 상처받고 힘들어하는 모습이 보였습니다. 친구들 앞에서는 애써 밝은 모습을 보여주려는 듯 과장된 몸짓과 말투를 보여주다 보니 아이들은 항상 규리에게 '재 왜 저래?', '재 이상해.'라는 표정으로 이해하지 못했죠. 게다가 아재 개그를 좋아하는데 때와 상황을 가리지 않다 보니 6학년 친구들은 재미없다며 그만 좀 하라고 불편해하기도 했죠. 이렇게 본인에 대한 부정적인 반응들이 모여 친구들을 사귀는 것을 어려워했습니다. 또한 수업 시간에도 소극적인 태도를 보여왔습니다. 좋은 아이디어를 작성했다고 열심히 칭찬해 주어도 본인의 생각과 내면을 드러내는 것을 부담스러워하는 게 느껴졌습니다.

규리의 자존감을 회복하기 위해서 어떻게 할 수 있을까 고민하던 와중에 규리의 배움 공책 검사를 하게 되었습니다. 배움 공책 내용은 꼼꼼하게 작성하지는 못해 멋쩍은 듯 부끄러워했지만, 저는 옆에 그린 캐릭터 낙서가 눈에 띄었습니다. 낙서가 굉장히 귀엽게 그렸고, 열심히 그린 흔적이었습니다. 학부모 상담을 하면서 어머님께서 "규리가 그림 많이 그리지 않나요?"라고 얘기하셨던 기억이 떠올랐습니다. 그래서 다음날 규리에게 칠판 관리사를 해보지 않겠냐고 제안해 보았습니다. "규리야, 칠판 관리사는 여기 남은 공간에 자유롭게 낙서해도 돼. 해볼래?" 그러자 규리는 밝게 웃으면서 "낙서해도 된다고요? 와!!" 그러고는 하겠다고 이름을 써놓았습니다. 내면을 보여주기 힘들어하는 규리에게는 친구들이 다 볼 수 있는 칠판에 잘 그려야 한다고 생각하면 부담스러워서 거절했을 것 같았습니다. 그러나 '낙서'에서 오는 편안함이 있던 것 같습니다. 아이에게 잘 맞는 직업을 추천해 주었다는 생각에 굉장히 보람찬 순간이었습니다.

한동안은 칠판 지우기만 하더니 어느 날 "선생님, 스폰지밥 검색해서 보여주실 수 있어요?"라고 물어보았습니다. 검색해 주고 마음에 드는 사진을 텔레비전에 보여주었더니 칠판 관리사를 위해 준비해 둔 여러 가지 색의 보드마카를 들고 오고선 신나는 얼굴로 스폰지밥을 그리기 시작했습니다. 친구들은 다들 스폰지밥에 관심을 가졌습니다. "와! 완전 똑같아.", "저거 누가 그렸어?" 하며 다들 좋아해 주었죠. 그러자 규리는 다음날도, 그다음 날도 찾아와서는 다양한 캐릭터를 보여달라고 하고, 칠판에 그렸습니다. 칠판에 그리는 게 재밌어 보였는지 규리 주변에 친구들이 모여들더니 같이 그림을 그리기 시작했습니다. 그림 대결을 펼치기도 하고, 아니면 이어서 그리기도 하는 등 친구들이랑 놀았습니다.

▲규리가 처음 그린 캐릭터

친구들은 규리와 놀면서 똑같은 그림을 보고 따라 그렸는데도 규리가 훨씬 잘 그린 것을 보면서 규리는 그림에 소질이 있다고 다들 인정해 주기 시작했고, 모둠 활동을 할 때 글과 그림으로 표현하는 부분에서 규리를 믿고 맡겼습니다. 게다가 친구들에게 비난받던 아재 개그에도 자신감이 붙었는지 상황에 맞게 툭 던져 저와 친구들에게 많은 웃음을 주기도 하였습니다. 게임 만드는 친구랑 협업해서 아재 개그 게임도 만들기도 했고, 친구들도 재밌어하며 게임에 참여했습니다. 어느새 본인을 부르는 별명도 그저 개그 소재일 뿐, 상처받지 않고 별 신경을 쓰지 않았습니다.

친구들의 지지와 자존감 회복으로 인해 그동안 자신이 없었던 수업 활동에도 적극적으로 참여하였습니다. 수학을 특히나 어려워해서 틀린 것을 감추었었는데 2학기가 되자 참 능글맞게도 틀린 것에 대해 별일 아닌 듯 받아들이고, 충분히 고칠 수 있다며 척척 고쳐오는 모습을 보고 얼마나 뿌듯했는지 모릅니다.

▲본인의 모습을 직접 그림

본인과 본인이 좋아하는 것들을 비난받고, 친구들이 싫어해 자신을 감추었던 규리가 '교실 속 직업놀이'를 통해 자신을 드러내고 친구들과 가까워지는 모습을 볼 수 있었습니다. 중학교 가면 다시 낯선 환경이겠지만 올해 빛났던 규리의 개성을 잃지 않고 내년에도 빛나 멋진 꿈을 펼쳤으면 좋겠습니다.

제14화

눈싸움 대신 윙크로 인사하는 사이가 되다!

앙버터샘, 서울, 5년 차

모두에게 미움받는 아이가
모두에게 사랑받는 아이가 되기까지

3학년인 예훈이는 겉모습만 보면 매우 귀엽게 생겼습니다. 하지만 신학기 첫날 옆 반 친구의 뺨을 때리는 일을 시작으로 화가 나면 친구들의 뺨을 때리거나 복부를 가격하는 등 심한 폭력으로 친구들에게 경계 대상이 되었습니다. 그러다 보니 학부모님들은 예훈이와 관련된 일에 더 예민하게 반응하셨고 자녀의 자리를 떨어뜨려 달라거나 예훈이와 다른 모둠으로 배치해달라고 요청하셨습니다. 3월 한 달 동안 예훈이는 자신을 경계하는 친구들의 분위기를 눈치챘는지 4월부터 학급에서 겉돌기 시작했습니다.

3월 한 달 동안 아이들에게 직업놀이에 관해 설명해주고 2주 동안은 적응 기간을 위해 직업 개수를 인당 1개로 제한했습니다. 다른 친구들이 직업을 고민하는 동안 예훈이는 직업 신청서 근처에도 오지 않았습니다. 직업 신청 기간이 지나고 유일하게 자석 보드가 빈칸인 친구는 예훈이 뿐이었습니다. 예훈이에게 "하고 싶은 직업이 없니?"라고 물어보니 예훈이는 마지못해 없다고 대답했습니다. '하고 싶지 않으면 하지 않아도 된다.'라는 직업놀이 원칙을 존중해 줘야 하나 고민하던 찰나 안전 지킴이를 신청한 사람이 아무도 없는 게 눈에 들어왔습니다. "예훈아, 안전 지킴이 해볼래? 복도에서 뛰고 싶은 마음을 예훈이가 제일 잘 알 것 같아서 친구들이 안 뛰게 도와줄 수 있을 것 같아~! 어때?"라고 물었습니다. 다른 아이들이 제 마음을 읽은 것처럼 동시에 예훈이에게 해보라고 격려의 박수를 보냈습니다. 예훈이는 친구들에게 박수받는 게 멋쩍은지 수줍게 웃으며 "네." 하고 얼른 자리로 들어갔습니다.

물론 예훈이가 안전 지킴이가 되었다고 해서 복도에서 한 번도 뛰지 않은 것은 아닙니다. 그래도 출근을 결심한 날에는 뛰지 않았습니다. 출근하더라도 질주 본능을 이기지 못하고 복도에서 뛴 날은 정직하게 격려 통장을 받지 않았습니다.

▲안전 지킴이는 조끼를 입은 게 출근했다는 표시 눈에 띄는 형광 조끼 유니폼이 있어 아이들에게 인기가 많은 직업이 되었다.

두 번째 직업을 정할 때는 예훈이가 먼저 신청표 주변에 있는 친구들에게 어떤 직업이 제일 쉬운 거냐고 묻기 시작했습니다. 며칠 동안 고민하던 예훈이는 은행원 직업과 앞문을 닫는 직업 옆에 이름을 적었습니다. 왜 이 직업을 선택했냐고 물으니, 급여를 자주 받고 자기가 하기 쉬운 일이라고 대답했습니다. 이 대답으로 예훈이가 전보다 직업놀이에 많은 관심이 생겼다는 것을 알게 되었습니다.

여름 방학이 지나고 2학기에 들어서자 예훈이는 하루에 직업 다섯 개를 할 정도로 누구보다 직업놀이를 좋아하는 아이가 되었습니다. 직업놀이를 하느라 바빠진 예훈이는 친구들을 괴롭히지 않게 되었습니다. 180도 변한 예훈이의 모습에 친구들도 예훈이를 더 이상 무서워하지 않았습니다. 오히려 모두 장난기 많고 재밌는 예훈이를 좋아해서 예훈이 옆자리는 늘 친구들로 북적였습니다.

이름만 불러도 날카롭게 경계하던 예훈이가 교사에게 혼나도 봐달라고 귀엽게 윙크하는 애교쟁이로 바뀌었습니다. 직업놀이를 통해 제자와 눈싸움하는 사이에서 윙크하는 사이로 바뀌었습니다.

▲직업놀이 이후 부쩍 가까워진 우리 반 남자 친구들

제15화

모두 모두 자란다

새벽잠샘, 경북, 4년 차

모두가 기여감을 느끼는 교실

첫날 교실에 들어오기 두려워서 울고 매사 소극적이던 중도입국 학생 A. 예전에 살던 나라에서도 모범생이었다는 A는 비서팀 역할을 통해 친구들이 계속 찾게 되고 학급 내 자신의 역할에 대해 스스로 뿌듯해하는 모습을 볼 수 있었습니다. 자신이 하는 일에 책임감을 느끼며 학교생활에 점차 자신감을 가지고 적극적으로 임하는 모습을 볼 수 있었습니다.

교실을 청소하며 기쁨을 느끼는 환경지킴이 B. 깨끗해진 교실을 보고 스스로 만족스러워하고, 열심히 청소하는 B를 보며 학급의 아이들도 교실을 깨끗하게 사용하기 시작했습니다. 예전과 달리 바닥에 떨어진 쓰레기를 바로 줍는다든지, 아이들 사이에서 깨끗한 교실을 유지하려는 모습이 점점 생겨났답니다.

인정 욕구는 많지만 늘 무기력한 C. 칠판 지킴이와 학급 군인 역할을 통해 스스로도 할 수 있다는 작은 성취로 이어져 학교생활 전반적인 면에서 활발해진 모습을 볼 수 있었습니다. 스스로 먼저 나서는 경우도 많아졌고, 한결 밝아진 C를 보며 뿌듯하고 흐뭇했답니다.

학급에서 직업놀이를 운영한다는 것은

각각의 아이들이 개별적으로 성장할 수 있는 토대와 기회를 마련해주는 의미 있고 가치 있는 일이라고 생각합니다. 학생들이 가지고 있는 특성, 아이들 간 관계, 그리고 활기찬 학급 분위기 모든 면에서 좋아졌습니다. 모든 것은 '관찰'로부터 시작한다고 생각합니다. 이 아이는 무엇을 좋아하고 잘하는지, 어떤 것이 필요하고 개선되면 좋을지 등 아이들 한 명 한 명에 대해 고민하는 것에서 이미 성공이라고 생각합니다. 시작은 누구나 두렵습니다. 하지만 겪어보면 변화하는 아이들을 보며 더 큰 선물을 얻을 수 있을 것입니다.

제16화

금쪽같은 너에게

사르르샘, 경기, 5년 차

처음 만난 너

몇 년 전, 환희는 제가 있는 학교로 전학을 왔습니다. 영어 전담 교사로 일하던 때였고 환희의 첫인상은 무척 강했습니다. 수업 시간에 책이 없거나 바닥에 드러눕는 건 일상이고, 손가락에 연필을 끼우거나 물병만 흔들기도 했습니다. 환희가 공부에 어려움이 있다는 걸 알게 된 후, 영어 시간만큼이라도 환희 수준에 맞는 학습량을 제공해 주었습니다. 그 당시 제가 할 수 있는 최선이었습니다.

다시 만난 너

시간이 흘러 환희와의 기억은 가물가물해지고, 새 학년, 새 아이들을 만나 바쁜 나날을 보냈습니다. 어느덧 2023년을 맞이하였습니다. 받아 든 새 학급 명부에 환희 이름이 있었습니다. '네가 내게로 온 건 인연인가 보다.'라고 생각했습니다.

환희와의 하루는 쉽지 않았습니다. 도통 자리에 앉으려 하질 않아 어르고 달래다 화가 나기를 하루에도 여러 번, 이를 반복하니 기력이 금세 바닥났습니다. 문제 행동의 원인이 학습된 무기력이라는 것은 알았지만 혼자의 힘으로는 역부족이었습니다. 환희는 공부와 친구 관계에서 자신감이 필요했습니다.

먼저, 공부는 학교의 기초학력 프로그램을 활용하여 환희가 수업에서 진도를 따라올 수 있게 지원해 주었습니다. 다음으로 환희가 친구 관계를 올바르게 맺을 수 있도록 직업놀이를 적극적으로 활용했습니다. 환희에 대한 평판이 좋지 않았기에 직업놀이 활동으로 친구들 사이에 자연스럽게 끼도록 했습니다.

금쪽같이 빛나는 너

다행히 환희는 호기심이 많아 직업놀이에도 흥미를 보였습니다. 환희에게 처음 권한 직업은 엔지니어였습니다. 환희는 물건을 분해하고 재조립하는 것을 즐겨 했습니다. 처음에는 쭈뼛쭈뼛하던 환희에게 간단한 물건 수리를 의뢰했고, 환희는 성실하게 물건을 고쳐 주었습니다. 엔지니어 활동으로 자신감이 붙은 환희는 공작 활동에서도 두각을 보였고, 이윽고 친구들의 활동을 도와주는 데까지 이르렀습니다.

친구들과 노는 법을 몰라 공격성을 보였던 환희는 어느새 직업 놀이에 집중하게 되었습니다. 환희는 교실에서 배출된 재활용품이나 다양한 물건들로 재미있는 놀잇감을 만들어냈고, 이 모습이 재미있어 보이니 친구들도 환희와 놀고 싶어 했습니다.

환희는 엔지니어뿐만 아니라, 안전보안관, 코치 직업놀이에도 성실하게 참여했습니다. 친구들과 같이 협력하며 자신이 맡은 역할을 즐겁게 해냈습니다. 처음에는 환희에게 반신반의하던 친구들도 환희의 꾸준함을 인정하기 시작했습니다.

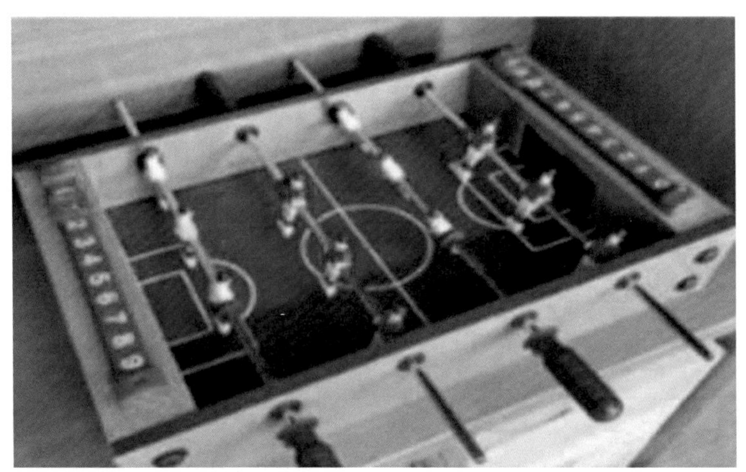

▲환희가 조립하고 수리한 축구 게임. 우리 반 최고의 놀잇감

다사다난했던 1학기였습니다. 환희는 주변의 여러 도움을 받아 정서적으로 안정된 상태에 이르렀습니다. 2학기에는 친구들의 추천을 받아 학급 부회장에 당선되었습니다. 친구들이 환희를 추천하는

이유를 말할 때 '밝고 마음이 따뜻한 친구'라고 해주었는데, 환희가 비로소 학급에서 세워진 것 같아 마음이 뭉클했습니다.

친구들은 환희에게 '환쪽이'라는 별명을 지어주었습니다. 그 별명을 들을 때마다 환희는 배시시 웃습니다. 물론 환희는 여전히 개구쟁이고 공부가 힘듭니다. 그래도 환희는 자신이 해야 할 일을 알고 묵묵히 실천하는 아이가 되었습니다. 앞으로 어떤 친구들, 어떤 교사를 만나더라도 올 한 해처럼 밝고 씩씩하게 지내길 바랍니다.

금쪽같이 귀하디귀한 환희야, 앞으로도 좋은 친구들, 좋은 어른들만 함께 하길 바랄게. 정말 많이 아꼈다. 잘 지내렴.

▲영어 수업 중 파티 기념

▲예쁜 환희 남매와 한 컷

제17화

야 너두 할 수 있어

토모샘, 전남, 5년 차

작년 교사들이 걱정하던 아이들이 이렇게나

2023년에 새로운 지역의 새로운 학교로 전입을 왔습니다. 전입 후 학교에 왔더니 모든 것이 새로워서 학교 건물, 각 교실 및 특별실 위치, 새로 만난 동료 교사들까지 익숙해지려고 노력했습니다. 그 중의 가장 새로웠던 것은 이번 2023년에 내가 맡을 아이들이었습니다. 이번에 담임을 맡았던 아이들은 6학년이었습니다. 6학년 아이들이 처음은 아니었지만, 이전 담임 및 전담 교사들이 몇 명의 아이들이 상당히 어려움이 있을 것이라고 말을 해주셨습니다. 새로운 학교에 새로운 아이들, 학기 시작 전부터 기대감도 있었지만, 걱정도 많이 된 게 사실입니다. 저희 반 아이 중 두 명의 친구를 소개해 보겠습니다. 첫 번째 A 친구는 작년 담임 교사에게 이야기 듣기로 사춘기를 겪으면서 수업 시간에 대놓고 책상에 엎드려 있고, 교사에게 예의 없게 대하고, 자기보다 약한 친구들을 괴롭혔던 친구였습니다. A 친구는 운동을 좋아하고, 친구들과 어울리기를 좋아하는 자신의 성향을 바탕으로 본인이 먼저 "스포츠 기획자"와 "마음 의사"를 희망하여 1년을 꾸준히 하였습니다. A 친구의 부적절한 행동이 완전하게 사라지지는 않았지만, 그 친구는 자신과 친구들이 하고 싶은 스포츠 활동을 조사하고, 활동을 준비하는 "스포츠 기획자"와, 몸이 아픈 친구를 간단히 치료해 주고 보건실에 같이 다녀오는 "마음 의사"를 하며 친구들과 소통하는 법, 나와 다른 친구를 배려하는 법, 우리 학급의 소속감 등을 배우고 느꼈습니다.

두 번째 B친구는 도움반 아이입니다. B친구는 저학년 때부터 6년간 학습 도움반에 있었습니다. 도움반 특성상 다른 아이들보다 사회성이 부족하여 다른 아이들과 어울리지 못하고 쉬는 시간에 주로 혼자 책상 의자에 앉아 쉬던 친구였습니다. B친구는 놀이를 준비하는 "파티플래너", 자신의 성실함을 바탕으로 학급에서 키우는 다육식물과 방울토마토 등 식물을 관리하는 "식물관리사", 분실물의 주인을 찾고 고장이 난 물건을 고쳐주는 "탐정"을 희망하여 활동을 진행했습니다. 2학기 말이 된 그 친구는 1학기 초와 다르게 쉬는 시간에 친구들과 활발하게 이야기도 하고 놀이도 하며 자연스럽게 친구들과 어울리고 전보다 자신감이 넘치는 표정과 말투를 갖게 되었습니다. 물론 B친구가 직업놀이 하나 때문에 1학기 초와 달라지진 않았을 것입니다. 그래도 저는 직업놀이가 그 친구에게 좋은 영향을 주었을 것이라고 감히 말할 수 있을 것 같습니다.

제18화

단 한 명의 아이라도 직업놀이로 더 나은 성장을 할 수 있다면

솔바람샘, 전북, 5년 차

직업놀이는 티 안 나게 아이에게 도움을 줄 수 있는 장치

직업놀이를 할 때 초기에는 '직업놀이가 학급 안에서 1년 끝까지 잘 돌아가는가'에 초점을 맞추고 진행했던 것 같습니다. 그래서 살짝 흐지부지되는 느낌이 들 때마다 내가 잘하고 있는가에 대한 고민이 많이 되었습니다. 하지만 어느 정도 진행을 하다 보니 어차피 직업놀이라는 것은 내가 아이에게 도움을 주기 위해 만든 하나의 장치인 것이지, 직업놀이가 목적이 될 수는 없다는 것을 깨닫는 중입니다. 직업놀이로 성장하는 '아이'에 초점을 맞추어야지, '직업놀이의 성공'에 초점을 맞추면 안 되는 거니까요. 직업놀이를 진행한 지 3년 차인 올해, 새로운 올해의 아이들 중 직업놀이로 성장한 아이 몇 명을 꼽아볼까 합니다.

목소리가 작았던 별이

별이는 학기 초에 목소리가 작았습니다. 흔히 학기 초에 앉아서 혼자 그림을 그리는 모습이 발견되는 사춘기 여학생입니다. 학급에 친한 친구가 많지 않아 조용히 자기 할 일만 하는 모습이 눈에 띄었던 별이는 올해 크게 3가지의 직업에 도전했습니다. 처음에는 미술 쪽을 좋아하는 친구길래 으레 그렇듯이 '디자이너' 직업을 추천하여 취미가 같은 친구들과 왕관 만드는 일을 하며 친해지도록 도와주었습니다. 별이가 만든 인성왕 왕관이 10개가 넘어가고 꾸준한 활동에 받은 인성왕 왕관이 2개가 넘어갈 때쯤, 친한 친구들 무리도 생기고 자신감도 생긴 별이는 비슷한 결인 '만화가' 직업에도 도전하였습니다. 디자이너와 만화가는 언뜻 비슷해 보이지만 '만화가' 직업은 친구들의 호응도 필요하기에 용기가 필요한 직업이기에 별이에겐 큰 한 발짝입니다.

▲반 친구들과 디자이너 일을 하는 모습

▲별이가 만든 첫 인성왕 왕관

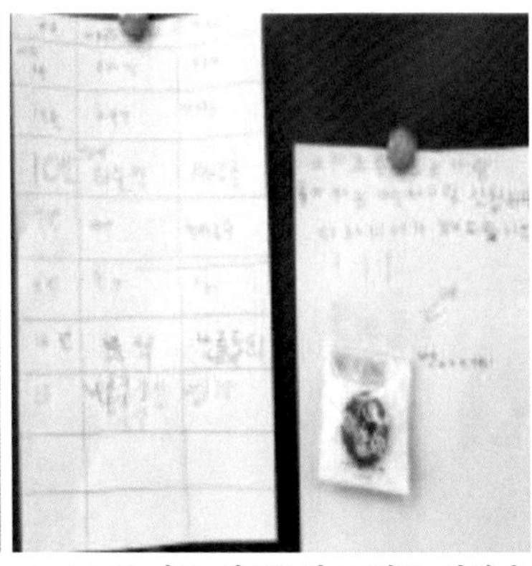

▲스스로 만든 친구들의 그림톡 신청판

만화가 직업을 하면서 묵묵히 한 장 한 장의 만화를 꾸준히 연재해 가던 별이는 세 번째 직업에도 도전하게 되었습니다. 그 직업은 무려 '사회박사'! 우리 반에서 사회박사가 하는 일은 사회시간이 시작하기 전에 쉬는 시간에 문제를 내고, 사회시간이 시작되면 문제를 친구들에게 읽어주고 친구들에게 발표 기회를 주는 직업입니다. 목소리가 작았던 별이였기에 사회박사 직업에 도전은 힘들 거로 생각했는데, 어느 날 사회박사 직업에 자신의 이름을 써내고 2학기가 끝날 때까지 친구들에게 복습 퀴즈를 내주었습니다. 별이의 목소리가 작아 한 남자아이가 "뭐라고? 안 들려!"라고 말하기에, 친절하게 말해야지 한마디 하려는 순간.

별이:
"하얼빈역에서 폭탄을 던진 사람은??!"

하고 외치는 별이의 큰 목소리를 들을 수 있었습니다. '아! 별이가 발전했구나!'하고 느낄 수 있는 순간이었습니다. 마지막 헤어질 때 종업식에서는 요란스러운 친구들과는 달리 조용히 눈물을 뚝뚝 흘리며 저를 부르고는 "진짜 이렇게 끝인 거예요?"하고 묻던 얼굴이 눈에 아직도 선합니다. 언뜻 보면 조용히 자기 할 일 잘하고, 친구들하고 딱히 문제도 일으키지 않아서 교사가 손을 댈 일이 잘 없는 아이에게, 직업놀이로서 자신감을 얻을 수 있게 도움을 주어 참 잘된 일이다 싶습니다. 직업놀이를 하지 않았다면 조용했던 별이는 그대로 조용하게 6학년에 올라갔을지도 모릅니다.

우리 반 돌멩이 친구 영훈이

영훈이는 그 전 학년에서 이름난 친구입니다. 3학년이었을 때부터 오다가다 복도에서 담임 교사에게 한바탕 혼나고 있는 걸 자주 본 친구였는데, 5학년이 되어 저희 반이 되었습니다. 보통 이름난 친구들은 이런저런 이야기를 듣지 않아도 이름만 봐도 '낯이 익은 이름이다!'하는 느낌이 오는 친구들이지요. 영훈이는 친구들에게 이런저런 괴롭힘을 하면서도 잘못을 했다고 쉽게 인정하지 않고, 사과도 하지 않는 친구였습니다. 자존심도 강해서 친구들과의 다툼도 교사에게 얘기하지 않고 쟤가 한 대 때리면, 내가 두 대 때려서 해결하면 된다고 이야기하던 친구였습니다. 하지만 날카롭고 사나운 모습만 보이는 친구는 아니었습니다. 1학기 회장 선거 때 본인도 나갔다가 떨어졌음에도, 자신의 친한 친구가 나갔다가 한 표 차이로 떨어져 우는 모습을 보고 조용히 옆에 가서 달래주기도 하고, 피구 리그전 대회가 끝나고 준우승에 그친 여자팀이 울고 있는 모습을 보고 "너는 충분히 잘했어"라며 위로와 격려도 해줄 수 있는 멋진 친구였습니다. 우리 반을 위해 무언가 만들거나 손봐야 할 일이 있으면 자기 일인 양 나서서 열심히 하기도 합니다. 또 길을 지나가다 예쁘게 생긴 하트모양 돌을 발견하곤 교사에게 건네주는 따뜻한 마음을 가지고 있는 친구입니다. 그래서 이 친구의 별칭은 '돌멩이'가 되었습니다.

▲우리 반 놀이방을 만든다고 하자 하교 후 남아서
영훈이가 열심히 만든 놀이방

영훈이가 한 직업은 아나운서도 있고, 군인도 있고 식물관리사도 있고 비서도 있었지만, 그 중의 가장 기억에 남는 것은 '개그맨' 직업을 했던 것입니다. 꾸준히 하는 능력은 부족한 아이였지만, 개그맨 직업을 하던 중에는 좋은 모습을 보였습니다. 시작은 영훈이가 소위 말하는 '아재 개그'를 했을 때였습니다.

영훈: "왕이 넘어지면?"
"킹콩!?"

하고 친구들이 반응해 주자 여러 가지 자신이 아는 개그를 총동원하여 쉬는 시간이든 수업 시간이든 퀴즈를 내서 친구들의 관심을 끌었습니다. 그래서 영훈이에게 아침에 개그 시간을 만들어 줄 테니 개그맨 직업을 정식으로 해보는 건 어떤지 물어보았습니다. 일단 거절부터 하는 영훈이는 고개를 내저었지만 이내 저에게 슬금슬금 다가와서 개그를 알아 왔다며 공책을 펴 보였습니다. 그 공책을 볼 때의 기쁨이란...! 직업놀이로 아이가 스스로 무언가를 해온 결과를 본 기분은 직업놀이를 하는 교사라면 누구나 공감할 만한 기쁨일 것입니다. 영훈이가 알아 온 개그는 평범하게 시중에 돌아다니는 개그가 아니었습니다. 이 개그 시간을 위해 집에서 핸드폰 앱으로 개그를 알려주는 앱을 깔아서 손수 적어 온 것이었습니다. 아침에 친구들에게 개그로 웃음을 주는 것뿐만이 아니었습니다. 용돈으로 마이○같은 것을 사 와서 개그를 맞춘 친구들에게 하나씩 주기도 하였습니다. 누구도 그렇게 요구하지 않았는데도, 손수 사 와서 친구들에게 주는 모습이 정말 감동적이었습니다. 친구들을 괴롭히는 문제 행동이 아닌, 퀴즈를 내는 재미있는 활동으로 친구들에게 관심을 받으니, 친구들에게 하는 문제 행동도 조금은 줄었습니다. 사과를 절대 하지 않았던 것도, 이제 잘못을 인정하기도 하고 모기만 한 목소리지만 사과하는 모습으로 변해갔습니다.

물론 아직도 학년에서 소문난 아이긴 하지만, 이 아이가 1학기에 비해서 이렇게 큰 성장을 했다는 건 담임인 저밖에 모를 겁니다. 문제 행동을 많이 했던 한 아이를 1년 만에 완전히 확 바꾸는 것은 부처님이 와도 힘들 것입니다. 저는 영훈이가 올해 직업놀이 교실에 와서 개그맨 활동을 하면서 친구들에게 관심을 긍정적인 방향으로도 얻는 경험을 하게 된 것, 그거 하나만으로도 만족합니다.

항상 허기져있던 준영이

준영이는 학기 초에 항상 배고프다는 말을 입에 달고 사는 아이였습니다. 학교 복지실에서 하는 사업인 아침 조식도 등교해서 항상 먹고 오는 친구였고, 친구들이 안 먹는 우유까지 하루 우유 3개도 먹는 친구입니다. 복지사님께 준영이 집 사정을 들어보니, 엄마가 많이 편찮으셔서 병원에 들어가신 후로 할머니와 같이 사는데 할머니에게 싫은 소리를 많이 들으며 자란다는 것이었습니다. 어릴 때 가장 필요한 부모님의 관심과 사랑이 부족했던 것일까요. 머리를 벽에 쿵쿵 부딪히거나 일부러 계단 난간에 올라가거나, 창문 쪽에 올라가는 등 여러 가지 위험한 행동을 하며 관심을 끌었습니다. 머리를 부딪히며 "저는 하나도 안 아파요~ 마사지하는 거예요."라는 말을 웃으며 하는 준영이의 모습을 보며 먹을 것도 그렇지만 관심과 사랑에 목말라 있는 느낌이 강했습니다.

인성왕 제도를 시작했을 때, 무엇을 하면 인성왕을 할 수 있을까? 제 주변을 서성거리며 "할 일이 없어요~"하며 일을 하고 싶어 하기도 했습니다. 그러던 준영이가 관심을 가졌던 직업이 2가지가 있었습니다. 바로 아나운서와 사회 박사입니다.

아나운서 직업은 국어 시간에 여러 지문을 읽어주는 직업인데, 글을 물 흐르듯 읽는 편은 아니지만 준영이는 아나운서 직업을 하며 국어책 읽기에 맛 들였습니다. 이야기 지문에 나오는 대사들을 실제로 그 성별에 맞게 읽어주며 성우라는 꿈을 가지기도 했습니다. 중간에 하고 싶은 직업을 써내는 시간이 있었을 때 '성우'라는 두 글자를 쓴 걸 보았을 때 아나운서 직업이 준영이에게 영향을 주었구나 싶어서 정말 기뻤습니다.

두 번째 직업은 사회 박사입니다. 준영이는 역사에 큰 관심을 보였습니다. 5학년 2학기 사회는 전부 역사라서 구석기시대부터 배워가는데, 준영이는 아직 안 배운 역사 부분을 척척 말하며 교과서보다도 깊이 있는 지식을 자랑했습니다. 그래서 2학기에 사회 박사 직업에 도전하였습니다. 배운 내용에서 핵심을 콕콕 짚는 문제를 많이 내서 저도 깜짝 놀랐을 정도였습니다.

아직 자신에 대한 사랑과 자신감이 부족해서 자신이 공부를 꽤 잘하는 편이라는 것을 인식하지 못하고 "50점도 못 맞았을 줄 알았는데 90점이에요~"하며 머쓱하게 좋아하는 모습을 보이는 준영이지만, 5학년 때의 아나운서 경험과 사회 박사 경험으로 큰 자신감을 얻어서 6학년 때는 더 날아오를 수 있기를 기대합니다.

3명의 아이들 외에도 직업놀이로 도움을 받은 아이들, 또는 직업놀이를 해서 다른 친구들에게 도움을 주고받은 아이들이 많습니다. 이곳에 다 써 내려갈 수는 없지만 많은 숫자의 아이가 아닐지라도 단 한 명의 아이라도 직업놀이를 통해 성장하게끔 도와줬다면, 그것만으로도 아이들 담임 교사를 한 보람과 직업놀이를 시작한 의미가 있다고 생각합니다. 소외되는 아이, 친구들에게 쉽게 다가가지 못하는 아이, 폭력적인 아이 등 학교생활에 어려움을 겪는 아이들을 보며 어떻게 내가 도움을 줘야 할지 전전긍긍하며 손도 못 대던 시절이 있었습니다. 하지만 이제는 직업놀이라는 무기를 가지고 어떻게 도움을 줄지 그려볼 수 있게 되었습니다. 2024년에는 학교를 옮기면서 달라진 환경, 달라진 아이들을 맞이하게 되는데 3월이 두려웠던 예전과 달리 지금은 설렘이 가득합니다. 2024년에도 직업놀이 파이팅!

꿈과 자존감을 키우는
행복한 학급 운영

PART 2

전국 교실로 들어온 직업놀이(학급운영편)

제 1 화

처음 운영하는 직업놀이

꼬북샘, 경남, 2년 차

학교가 재미없을 것 같은 두려움에 시작한 직업놀이

아무것도 모르던 1년 차 신규 때는 1인 1역을 하며 1년을 즐겁게 보냈습니다. 첫 제자라는 버프가 사라진 2번째 학급을 준비하는데... 너무 재미가 없었습니다. 작년과 똑같은 학급 운영은 흥미가 없어졌고, 이러다가는 학교 가는 게 행복하지 않을 것 같았습니다. 그렇게 새로운 시도를 찾아보던 중, 우연한 계기로 직업놀이를 알게 되었습니다. 1인 1역보다 훨씬 재밌을 것 같다는 단순한 생각으로 시작을 다짐했습니다. 두려움도 있었지만, '내가 즐거우면 아이들도 즐겁지 않을까?'라고 열심히 자기 최면을 하였고, 아이들에게 "내 첫 도전을 너희와 함께해보고 싶은데, 함께 해볼래?"라고 물으며 열심히 꼬셨습니다. 그렇게 3월에 연수에 참여하고 책을 읽고, 카페도 참고해 가며 직업놀이를 배웠습니다. 직업놀이 특성상 1인 1역보다 소개해야 할 직업이 많아 초반에는 신경 쓸 게 많았지만, 시간이 지날수록 교사도 편하고 아이들도 즐거운 활동이 되어갔습니다.

보상이 없어도 괜찮냐고요?
유명무실한 보상으로 시작했어요!

직업놀이를 다른 교사들에게 소개하면 늘 들어오는 질문이 있었습니다. “보상이 없어도 괜찮아?” 저희 반은 격려 통장을 작성하고 월급 제도를 시행하기는 했으나, 잘 운영되지 않았습니다. 그 이유는 아래와 같이 예상해 봅니다.

1. 가성비가 안 좋음.

저희 반은 10일간 꾸준히 3개씩의 격려 통장 내용을 작성해야 300원을 벌 수 있습니다. 그런데 월급으로 구매할 수 있는 아이템이 그리 좋은 게 없어 노력 대비 보상의 가성비가 좋지 않습니다.

2. 격려 통장을 적지 않으면 칭찬받음.

격려 통장을 적지 않는 아이는 ‘보상 없이도 직업놀이를 수행하는 아이’니 더 대단한 아이임을 모두의 앞에서 지속해서 칭찬해 주었습니다. 그렇게 점점 월급을 받는 아이들이 줄어들었습니다. 내년에는 월급 제도 없이 운영하는 것도 고민해 보고 있습니다. 통장이 바닥에 굴러다니고 사물함에 끼어 있는 모습을 보니 없어도 괜찮겠다 싶습니다.

<table>
<tr><td>★놀면 뭐하지?★
직업 놀이 1일 휴가

☢가격 : 200원</td><td>★뽑기 기계 이용 아이템★
뽑기 기계 이용해서 간식 뽑기
☢가격 : 400원</td><td>★왕의 수라상★
친구(1명)와 함께 하는 간식타임
(선생님이 간식 제공)
☢가격 : 1000원</td><td>★왕의 투구★
친구(1명)와 함께 원하는 순서에 줄서기
(순서 정하기 x)
☢가격 : 1000원</td></tr>
<tr><td>★왕의 보물상자★
체육 시간에 리더가 되어 원하는 종목과 팀을 구성하는 기회
☢가격 : 2000원</td><td>★마법사의 요술봉★
담임 체육 시간 피구로 교체하기
☢가격 : 1500원</td><td>★마법사의 다이아몬드★
선생님과 함께 10분 수다 떨기

☢가격 : 2000원</td><td>★마법사의 마법 가루★
바리스타님!
제티 한 잔 부탁드려요!

☢가격 : 300원</td></tr>
<tr><td>★슈퍼 스타★
오늘 하루!
가수, 댄서 되어보기
☢가격 : 200원</td><td>★샤이니 스타★
새로운 직업에 하루 동안 아르바이트 참여하기
☢가격 : 100원</td><td>★몰입 클래스 오픈★
몰입 클래스를 오픈하기(종이접기 클래스 포함)
☢가격 : 200원</td><td>★팀장 놀이★
직업 놀이에서 하루 팀장하기
☢가격 : 1000원</td></tr>
<tr><td>★[피구] 불사조★
우리 팀 전원을 다시 살린다.
☢가격 : 500원</td><td>★[피구] 수호신★
목숨 2개
☢가격 : 300원</td><td>★[피구] 번개슛★
땅에 바운드된 볼에 맞아도 아웃
☢가격 : 200원</td><td>★[피구] 지뢰슛★
한 명 아웃되면 양 옆 사람도 같이 아웃
☢가격 : 200원</td></tr>
<tr><td>★[피구] 스위치슛★
상대편 선수 한 명 데려오기
☢가격 : 300원</td><td>★[피구] 블랙홀★
블랙홀을 외치면, 공을 던질 때까지 상대편 선수 모두, 두 발을 움직일 수 없음
☢가격 : 200원</td><td>★[피구] 더블슛★
목숨이 2개인 사람을 한 번에 아웃
☢가격 : 300원</td><td>★[피구] 힐러★
죽은 사람 1명 살리기
☢가격 : 200원</td></tr>
</table>

▲우리 반 아이템 항목

6학년 파티 반

어느 날 다른 학년 교사 한 분이 저희 반에 오셨다가 이런 얘기를 하시더라고요. “6학년 파티 반!” 파티 반이라는 명칭이 웃기면서도 마음에 무척 들었습니다. ‘맥시멀리스트인 담임 교사와 직업 놀이 중인 아이들이 만나면 학년말에는 더 멋진 파티 반이 될 수 있지 않을까?’ 하는 생각도 들었습니다. 이제 아이들과 함께 즐겁게 운영한 저희 반의 파티와 학생 주도 활동들을 소개해 볼까 합니다.

■ 학생 주도 활동

파티 플래너	파티 총괄	전시큐레이터	교실 꾸미기 총괄
비서팀	입장권 및 간식 배부	디자이너	파티 시간표 제작
군인	책걸상 옮기기	가수, 댄서	공연
DJ	라디오 부스 코너 운영	환경미화원	뒷정리 총괄
MC	파티 진행	헤어디자이너	공연자 헤어스타일링

1. 100일 파티

원래 기념일을 챙기지 않는 편이지만, 아이들이 100일 파티를 원하고 본인들이 준비하겠다고 하여 100일 파티를 진행해 보았습니다. 처음 하는 파티라서 파티플래너들이 아주 힘들었을 텐데도 열심히 해준 덕분에 즐거운 파티를 진행할 수 있었습니다. 일부러 파티하기 전 파티플래너와 댄서, MC팀의 팀장을 임명하여 책임감을 주었습니다. 덕분에 파티는 더 매끄럽게 진행되었습니다. 직업별 역할을 배분한 후, 모두가 참여하는 파티를 만들기 위해 직업 배분이 되지 않는 아이도 다른 직업들을 도와 참여하도록 안내했습니다. 파티를 준비하며 처음이라 우왕좌왕하는 모습을 보니 아이들이 스스로 주도하되 일부 도움이 필요하다고 판단했습니다. 예를 들면, "디자이너님들! 파티 시간표가 있으면 좋을 것 같아요!" 등 무엇을 해야 할지 안내하는 정도의 도움을 제공하였습니다.

▲파티 시간표 ▲파티를 준비 중인 아이들

▲비서팀이 나눠준 입장권

▲라디오 부스 진행 중인 DJ

2. 학예회

11월, 학교 계획에 따라 학예회가 진행됐습니다. 6학년은 학급 학예회로 진행하기로 하였고, 학급 회의 결과 주제는 "우주"로 정했습니다. 다행히도 학예회 예산이 학급당 10만 원 있어, 그중 7만 원을 아이들이 사용할 수 있도록 안내해 주었습니다. 파티플래너 주도로 학급 전체에게 학예회에 사용할 파티용품을 찾아서 '링크와 함께 선생님에게 보내면 구매하도록 하겠다'고 안내하고 찾을 시간을 주었습니다. 아이들은 행성, 외계인 등 다양한 풍선을 찾아왔습니다. 태어나서 이렇게 생긴 외계인 은박 풍선은 처음 봤습니다... 아이들에게 구매 상품을 전달받은 후, 아이들이 찾아온 풍선과 파티용품을 다시 검색하여 더 저렴한 상품을 찾았습니다. 남은 예산 3만 원과 저렴한 상품 검색으로 아낀 금액을 사용하여 파티용품을 더 구매하여 아이들에게 제공해 주었습니다. 이번에는 아이들과 회의하여 직업별 역할 배분을 논의하였습니다. 아이들의 의견과 제 의견을 합쳐 파티플래너 주도로 아래와 같이 역할이 분배되었습니다. 100일 파티와 같이 배분된 직업에 해당하지 않는 사람은 다른 직업군들을 도와 참여하도록 안내하였습니다. 아이들이 열심히 참여해 준 덕분에 멋진 학예회가 진행되었습니다! 다른 학년에 외계인 반이라고 소문났다고 아이들이 알려주었는데, 솔직히 정말 뿌듯했습니다!

▲외계인 풍선

■ 학생 주도 활동

파티 플래너	파티 총괄	전시큐레이터 & 공무원	교실 꾸미고 정돈하기
비서팀	학부모 응원 풍선, 입장 팔찌 및 팸플릿 배부, 환영 인사	디자이너	MC팀 마이크 이름표 및 머리띠 등 학예회 필요 물품 제작
군인	책걸상 정리, 피아노 옮기기	칠판 관리사	칠판 꾸미고 정리하기
DJ	학예회 음악 재생	정리 컨설턴트	교실 물품 정리
MC팀	학예회 진행 대본 작성 및 행사 진행하기	카메라 감독	학예회 영상 찍기

▲ MC 활약

▲학예회 포토존

▲교실 풍경

▲아이들이 꾸민 칠판

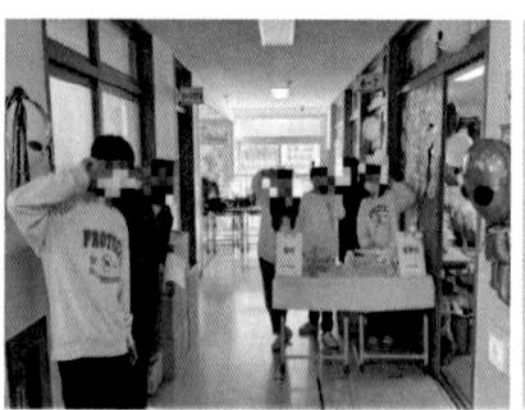
▲손님맞이 비서팀

▲일러스트 작가 그림

3. 겨울 뒤 게시판 꾸미기

11월 말에는 교실 게시판을 꾸몄습니다. 디자이너들에게 작년에 꾸몄던 게시판을 보여준 후, 어떻게 꾸미고 싶은지 구상해 보라고 하였습니다. 구상한 게시판을 토대로 아이들이 필요하다고 하는 자료를 찾아주었습니다. 일부 직업만 참여하는 게 아닌 우리 반이 함께 만드는 겨울 게시판이기에, 게시판 꾸미기에 필요한 것들은 학급 전체가 미술 시간을 이용하여 제작하였습니다. 그 후, 전시 큐레이터와 디자이너, 자원봉사자로 남아준 아이의 주도로 게시판을 꾸몄습니다.

▲디자이너, 전시큐레이터의 구상

▲일러스트 작가의 그림

▲완성된 뒤 게시판

작년에는 직업놀이를 하지 않아 2명의 아이와 함께 꾸몄는데, 제가 거의 다 해야 해서 너무 힘들었습니다. 올해는 트리 붙이기만 도와주고 나머지는 알아서 하도록 했는데도 기대한 것보다 훨씬 멋진 게시판이 완성되어 놀랐습니다.

4. 300일 파티

학예회가 끝나자마자 아이들과 300일에 어떤 주제로 파티할지 정해두었습니다. 투표 결과 우리 반의 300일인 만큼, '우리 반'을 주제로 진행하기로 이야기하였습니다. 학급 이름이 '스마일 풍선반'이라서 스마일 풍선을 주제로 꾸미도록 계획했습니다. 이번에는 4분기 학습 준비물비 중 일부를 안내하고 파티에 사용할 파티용품을 아이들이 찾도록 했습니다. 지난번 학예회 때 같은 상품을 더 저렴하게 구매하였다고 안내하니, 아이들이 더 현명하게 소비하려고 노력하는 모습이 돋보였습니다.

100일 파티, 학예회를 거치며 파티 준비를 어떻게 해야 할지 학습한 것 같아 이번 파티에서는 아예 개입하지 않고 모든 권한을 파티플래너에게 넘겼습니다. 파티플래너 팀장과 일부 팀원의 주도로 전체 학급 회의를 하며 300일 파티 때 하고 싶은 것을 투표받았습니다. 제가 평소에 학급 회의를 하는 모습과 똑같이 회의를 진행하는 아이들을 보며 교사의 역할을 다시금 생각해보게 되었습니다. 회의는 파티플래너가 개그맨, MC와 같은 직업들에 준비 기한을 안내하며 끝났습니다.

▲파티를 진행 중인 MC팀

▲장기자랑에 참여한 아이들

▲입장 팔찌 배부 중인 비서팀

▲함께 파티 준비 중인 아이들

▲단체 사진

학생 주도 파티가 되도록 최대한 개입을 줄였으나, 필요하다는 것이 있으면 제공해 주었습니다.

아이들이 요구한 것은 파티 시간 확보, 테이프와 마이크 등 준비물 제공 정도로 간단한 것뿐이었습니다. 이번 파티 역시 직업별로 역할을 나누었으며, 100일 파티, 학예회와 비슷하게 분배되었습니다. 다들 열심히 참여해 준 덕분에 파티는 즐겁고 성공적으로 종료되었습니다. 솔직히 도와준 게 아무것도 없는데 파티가 너무나도 매끄럽게 진행되어 많이 놀랐었습니다.

<직업놀이로, 아이들이 스스로 만들어가는 학급 파티 프로젝트>

▲학급회의 진행 중인 파티플래너 ▲디자이너 제작 입장 팔찌 ▲아이들이 꾸민 포토존

▲파티 홍보지 및 시간표 ▲파티 홍보지 및 시간표 ▲아이들이 꾸민 칠판

▲아이들이 꾸민 뒤 게시판 ▲파티 홍보지 및 시간표

우리 반 어린이들은 이제 어디 가서 파티나 행사 진행을 두려워할 일은 없겠다는 생각이 들었습니다.

첫 번째 직업놀이의 끝을 바라보며

첫 번째 직업놀이의 끝이 다가오네요. 저는 직업놀이 덕분에 정말 즐겁게 만족스러운 1년을 보냈어요. 2023년에 발령받은 신규주제에 발령 동기 여럿을 학급으로 초대하여 직업놀이 홍보 연수를 하며 주변에 함께할 것을 제안할 정도로요. 학교 가는 게 재미없을까 걱정했던 2월의 고민은 사라지고, 이제 내년이 기다려져요. 작별은 너무나도 아쉽지만, 다음 아이들의 직업놀이는 어떻게 진행될지가 너무 궁금하거든요. 매년 아이들의 성향에 따라 놀이 방향이 많이 달라질 것 같아, 했던 일을 또 한다는 지루함도 사라질 것 같아요.

일부 직업군들(엔지니어, 기자 등)이 활성화되지 않은 미숙한 운영이라 아쉬움이 남지만, 그래도 여전히 잘 진행되는 직업군들이 많은 것 같아 직업놀이 첫해치고는 잘 운영해 냈다고 생각해보려고요. 학생 주도로 진행된 파티들, 소개하지 못한 수많은 일상의 활동들이 아이들의 삶에 큰 밑거름이 되리라 믿거든요. 직업놀이를 하며 '가진 것을 나누고 새로운 것을 만들어가는 즐거움을 함께 배웠으니, 이보다 좋은 배움이 어디 있을까?'라는 생각을 종종 했어요. 내년에는 더 많은 교사들이 저와 같은 마음을 느끼며 함께 성장할 수 있기를 바라요.

제2화

더 이상 학교 가기 두렵지 않아요!

잇몸샘, 경기, 3년 차

학교 가기 싫은 선생님과 아이들

2-3월을 한 단어로 표현한다면 '두려움'이었습니다. 반 배정을 받고 나서 열어본 목록에는 악명 높은 아이들로 가득했고 그 아이들의 소문을 전해 들었을 때는 반을 뽑은 제 손을 원망했습니다. 개학 후 소문으로만 듣던 바를 직접 확인하니 학교 가기가 너무 무서웠습니다. 반에서 악명 높은 아이들뿐만 아니라 학년, 반 전체적인 분위기 또한 한몫했습니다. 여학생 남학생 모두 무리가 형성되어 있었으며 무리에 소속되지 못하는 아이들을 대놓고 왕따시키는 문화가 퍼져있었고 그 아이들은 울며 저에게 상담을 요청하곤 했습니다. 저 또한 제 나름대로 고군분투했지만 고학년 특성상 눈치가 빨라 아이들이 눈치채지 않고 모두가 어우러질 수 있게끔 하는 것이 너무나 어려웠습니다. 또한 고학년을 처음 맡아보기에 아이들의 심리도 어려웠습니다. 매일 매일이 곤혹스럽고 막막했습니

다. 소외되는 아이들의 불만, 무리의 우두머리 아이들과의 심리전, 악명 높은 아이들의 사건 사고.. 하루살이처럼 하루하루를 막아내기에 급급했고 매일 저녁 내일 아침이 오지 않았으면 좋겠다는 생각을 하며 잠을 청했습니다. 그러면 안 되지만 제 자신이 정신적, 육체적으로 지치다 보니 은연중에 아이들에게까지 영향이 갔고 반 분위기도 점점 더 엉망이 되어가고 있었습니다.

저는 아이들의 자율권을 충분히 보장해 주는 교사가 되길 원했고 반 아이들이 두루두루 친하여 포근한 분위기가 형성되었으면 했으나 3월 저희 반은 서로 비난하기 바빴고 이기주의가 팽배했습니다. 그러다 보니 저 또한 자율성을 보장해 주기보다 반에서 터지는 문제를 막기 위해 철저한 통제자로 변해가고 있었습니다. 아이들 하교 후 빈 교실에 남겨지면 매일 저의 행동에 후회가 되고 그럴 수밖에 없었던 이유로 제 자신을 정당화하고 있는 모습이 싫었습니다. 그러던 중 친구의 추천으로 우연히 '수진샘의 직업놀이' 연수를 듣게 되었습니다. 솔직히 다양한 교사들의 직업놀이 운영 사례를 들었을 때 너무 이상적인 사례들만 보여주는 것은 아닐까 싶었습니다. 과연 우리 반에 도입해도 저런 결과가 나타날까? 반신반의했습니다. 그러나 생기를 잃어가는 제 자신과 반을 보며 이보다 더 나빠질 수 있을까 싶어 지푸라기라도 잡는 심정으로 연수를 신청하여 듣고 직업놀이 운영 카페에서의 여러 교사들의 활용 사례들을 살펴보기 시작했습니다. 너무 막막했지만 정말 감사하게도 많은 자료와 사례를 공유해 주신 많은 교사들 덕분에 큰 어려움 없이 빠르게 시작할 수 있었습니다.

우리 반 직업놀이 교실 이야기

처음 직업놀이를 시작하기 전 아이들의 반응이 걱정이었습니다. 고학년 아이들이라 시시해하면 어쩌지? 흥미가 없어 흐지부지되는 것은 아닐까? 걱정이 꼬리를 물었습니다. 그러나 아이들의 반응은 예상 밖이었습니다. 직업놀이를 시작한다고 이야기하자마자 아이들의 반응은 폭발적이었습니다. 예상치 못한 엄청난 반응에 저까지 덩달아 신이 났습니다. 지금부터 저희 반 아이들의 아름다운 변화에 대해 이야기드리고자 합니다.

왕따가 사라졌어요!

여자 아이들 사이에서 특히나 심했던 무리 짓기, 왕따 문제가 해결 되었습니다. 쉬는 시간마다 모여 수군대고 귓속말하던 아이들, 이들의 눈치를 보며 몰래 눈물을 훔치던 아이를 보며 난감하고 속상하던 매일매일이 행복한 나날들로 변화하기까지 한 달여 가량이 걸렸습니다. 눈치를 보며 소극적이고 우울해지던 아이에게 큰 변화를 가져온 직업은 '음악 DJ'였습니다. 저희 반 아이들은 유독 K-POP 음악을 듣는 것을 좋아했습니다. 무리 짓는 아이들은 음악을 들으며 춤추는 것을 너무나 좋아했습니다. 그러던 중 행복이가 음악 DJ를 하게 되며 자연스럽게 아이들과 이야기하는 시간이 늘기 시작했습니다. 3월 처음에 저와 상담할 때 아이들로부터 많은 상처를 받아 이야기하기가 겁나 학교에서 아무 말 없이 자리에 우두커니 앉아만 있던 행복이는 아이들의 음악 신청을 받고 음악을 틀기 시작했습니다. 처음엔 조금 어색해했습니다. 그러나 한 달이 지나자 그 아이들과 음악을 틀고 함께 춤추는 행복이를 보며 너무나 다행이라는 생각이 들었습니다. 행복이는 제가 뽑아주던 음악 신청서를 거절하더니 자신이 미리캔버스를 이용하여 만든 알록달록한 신청서를 출력해오기 시작했고 이에 감탄한 아이들의 신청률은 더욱 증가했습니다. 행복한 관계 속에서 행복이의 노력에 대한 아이들의 칭찬은 끊이지 않았고 상담실에서 회복적 서클을 진행해도 멈추지 않던 왕따 문제가 직업놀이 시작 후 완전히 멈추었습니다. 월요일 아침활동 시간마다 공책에 작성하는 '주말 이야기'를 읽어보면 사이가 완전히 틀어졌던 행복이를 비롯한 저희 반 여학생들이 함께 주말 동안 놀이터에서 술래잡기 놀기도 하고, 사진관에서 사진도 찍었다는 글이 적혀있었습니다. 2학기 무렵 행복이가 이사를 가게 되어 전학을 가야 했을 때 파티 플래너와 디자이너 아이들이 행복이를 위한 송별회를 해야 한다며 자진해서 행사를 준비해 주었고 눈물의 송별회가 되었습니다. 전학 후 행복이 어머님께서 아이가 학기 초에 비해 많이 밝아졌다며 감사의 문자를 보내주셨을 때 많은 보람을 느꼈던 것 같습니다. 지금까지도 행복이와 연락을 주고받고 가끔 만나기도 한다는 이야기를 들을 때면 직업놀이로 인해 변화한 아이들이 감격스럽습니다.

용기있는 아이들로 성장하다

저희 반에는 소심한 성격 탓에 아이들과 어울리지 못하는 아이가 2명(믿음이, 구름이)이 있었습니다. 아이들도 이를 알다 보니 '쟤들은 애들이랑 못 어울리는 이상한 애'로 낙인찍고 있었고 워낙 소심하다 보니 제가 도움을 주고 아이들에게 다가갈 수 있는 방법을 모색해도 소용이 없었습니다. 그러던 중 한 명은 '바리스타', 다른 한 명은 '사서 선생님'을 맡게 되었습니다.

바리스타 특성상 아이들과 이야기를 많이 해야 하는 직업이기에 자연스럽게 바리스타를 맡은 믿음이는 자연스럽게 아이들과 말하게 되었습니다. 쉬는 시간 떠들썩하기 때문에 아이들에게 자신의 말을 잘 전달해야 하기에 자연스럽게 작은 목소리도 점차 커지게 되었고 1학기 말이 되었을 땐 반을 돌아다니며 우렁찬 목소리로 자신의 상점을 홍보하고 있었습니다. 아이들이 자신이 받은 월급을 사용하기 위해 바리스타를 찾을 땐 항상 행복하기에 긍정의 에너지가 믿음이에게 전해졌고 믿음이는 아이들 그리고 자신에 대한 이미지가 긍정적으로 변화하고 있었습니다. 더 이상 믿음이는 아이들에게 말을 거는 것이 힘들지 않았고 이제는 아이들에게 장난치며 호탕하게 웃는 소리가 잊히지 않습니다.

사서 선생님을 맡은 구름이는 믿음이 보다도 더 소심한 아이였습니다. 쉬는 시간 화장실을 다녀오는 것을 제외하곤 자리에 혼자 앉아 있거나 누워있었고 친구에게는 물론이고 저에게 하고 싶은 말이 있어도 우물쭈물하다 자리를 피하곤 했습니다. 처음 직업놀이를 시작했을 때 아이들이 책을 빌리러 오면 흠칫 놀라며 최대한 몸을 의자 쪽으로 기대어 아이들과의 거리를 유지했습니다. 구름이가 직업놀이에 익숙해질 수 있을까 싶으며 다음 달 다른 직업을 추천해 주어야겠다 싶었습니다. 그러나 점차 구름이가 직업놀이에 열정적이구나는 것을 깨닫게 되었습니다. 구름이는 꼼꼼하고 부드러운 성격을 가지고 있었습니다. 책을 대출하고 반납하는 장부를 철저하게 잘 작성했고 도서가 연체되는 아이들에게 이야기해야 할 땐 부드럽게 책을 반납할 수 있도록 안내하였습니다. 이러한 구름이의 성격을 매달 말 진행하는 학급 회의에서 한 아이가 칭찬하게 되었고 다른 아이들 또한 너도나도 칭찬에 공감하게 되었습니다. 이를 들은 구름이는 더욱 열정적으로 직업놀이에 임했습니다.

매달 말 진행하는 독서퀴즈 문제를 출제할 때 저에게 다가와 "선생님 이런 문제를 냈을 때 친구들이 풀 수 있을까요? 너무 어렵지는 않을까요?"라고 또박또박 이야기하는 것을 보고 아이가 직업놀이를 하며 자신감을 되찾아 가는 것 같아 대견했습니다.

공격성이 리더십으로 변화하다

씩씩이는 항상 불만이 많던 아이었습니다. 교사들은 자신을 차별하는 존재라는 생각이 자리 잡고 있었고 수업 시간 항상 불만이 가득했고 학교에 불만이 많다 보니 학교에 오는 것이 싫어 지각이 잦았습니다. 학교에 등교하는 날이면 친구들에게 시비를 걸며 툭툭

치는 일이 잦았고 이에 화가 난 아이들은 학교폭력으로 신고하고 싶어 했습니다. 직업놀이를 시작했을 때도 씩씩이는 "이런 걸 왜 해요. 안 해요."라며 거절했지만 아이들이 재밌어하는 것을 보고 은근슬쩍 참여하기 시작했습니다. 씩씩이는 다재다능한 아이였고 특히나 체육에 소질이 있었기에 체육 선생님을 맡게 되었습니다.

체육 선생님을 맡은 씩씩이는 제 눈을 의심할 정도의 변화를 보였습니다. 저는 체육 지도서 한 권과 지도안 그리고 태블릿 하나를 주었고 일주일에 3번 중 1번의 체육 수업을 준비부터 마무리까지 모든 것을 씩씩이에게 맡겼습니다. 체육 시간마다 축구, 피구를 도대체 왜 안 하냐며 성질내고 체육 수업조차 제대로 참여하지 않던 씩씩이는 체육 수업에 피구를 넣어달라는 아이들에게 지도서를 보여주며 5학년 교육과정에는 피구가 없다며 그럴 수 없다며 논리적으로 이유를 설명해 주고 있었습니다. 또한 열심히 체육 수업 영상과 지도서를 살펴보며 체육 수업을 열정적으로 준비했습니다. 간혹 저보다 더 수업 준비를 열심히 하는 것이 아닐까 싶을 정도로 학교에 일찍 등교하여 자신의 수업을 위해 고개를 파묻고 지도안을 작성하고 있는 씩씩이를 보며 놀라움을 금치 못했습니다. 아이들이 자신이 준비한 수업을 좋아해 주자 아이들에게 대하는 태도도 공격적에서 우호적으로 변화하였습니다. 체육 시간 다툼이 발생하면 자신이 나서 중재하는 태도를 보였고 아이들 역시 그런 씩씩이의 모습에 책임감 있다고 느껴 칭찬을 아끼지 않았습니다. 씩씩이의 변화된 모습에 인정과 자율성을 부여한다면 아이가 이렇게 변화할 수 있구나는 것을 많이 느끼게 되었고 씩씩이가 그동안 필요한 것은 지도가 아니라 인정과 칭찬이라는 사실에 저를 더욱 반성하는 시간이 되었습니다.

행복한 우리가 된, 우리 반!

가장 큰 변화는 아이들이 서로 서로를 칭찬하고 웃음이 끊이질 않는 반이 되었다는 점입니다. 서로 헐뜯고 이르기 바빴던 아이들은 매달 말 학급 회의 시간 서로에 대한 칭찬을 주고받기 시작했고 칭찬을 받은 아이들의 관계 개선은 물론 자신에 대한 긍정적인 이미지를 갖게 되었습니다. 학교는 오기 싫은 곳, 재미없는 곳에서 학교에 오면 자신 그 자체로 빛날 수 있다는 사실에 즐거워하는 것이 확연하게 보였습니다. 저 또한 무섭고 오기 싫던 학교에 대한 인식이 변화하게 되어 매일 싱글벙글 웃게 되었습니다.

연수를 들을 때 수진샘께서 월급 제도는 아이들의 동기유발을 위해 필요하긴 하지만 꼭 필요한 것은 아니라고 말씀해 주셨지만 3월 아이들의 모습에 월급제도를 도입했었습니다. 자기 자신의 이익이 가장 중요하고 반 내 이기주의가 만연했지만 직업놀이를 하면 할수록 이타적으로 변화했습니다. 누군가 월급이 모자라 자신이 사고 싶은 아이템을 못 살 땐 서로 자신의 월급을 기부해 주겠다고 나섰고 월급을 사용할 때도 모아둔 돈을 체육 시간 얼음을 잔뜩 구매하여 친구들에게 나누어주는 등 본인의 이익보다도 반 친구들 전체에게 좋은 방향으로 사용하기 시작했습니다. 그러다 보니

2학기쯤 되자 월급제가 흐지부지해졌습니다. 내년 직업놀이를 운영할 때는 올해 운영을 바탕으로 느꼈던 부족한 점들을 보완하여 학급을 운영해 보고자 합니다.

제가 감히 이렇게 글을 써도 될지 싶을 정도로 직업놀이를 운영하며 허점도 많았고 서툴렀습니다. 그리고 많이 변화하긴 했지만 저희 반 아이들은 여전히 티격태격 싸우기도 하고 엄청 개구집니다. 그렇지만 옆 반 친구들의 부러움을 한 몸에 받고 친구들의 칭찬과 저의 인정을 받고 자라다 보니 저희 반 아이들은 자신과 반에 대한 자부심이 엄청납니다. 학기 초에 비해 한 뼘 이상씩 자라난 모습을 보며 이렇게나 많이 성장했구나 하는 마음에 괜스레 뭉클해집니다.

작년 암담한 현실에서 벗어나게 도와주신 수진샘과 카페에서 직업놀이를 운영하신 사례와 팁을 아낌없이 공유해 주셨던 모든 교사들께 감사드립니다. 직업놀이 시작 전 교사들의 운영 후기에 반신반의하며 머뭇거렸던 저와 같은 모든 교사들에게 용기를 내어 시작하실 수 있도록 바라는 마음에 사례집 작성에 참여하였습니다. 행복한 교실을 위해 직업놀이를 한 번 시작해 보셨으면 좋겠습니다.

제3화

내일이 기다려지는 교실이 되고 싶어요

희망을 주고픈 수샘, 전남, 4년 차

자율의 힘! 선생님, 저 혼자서도 잘해요.

"선생님 이렇게 해도 돼요?" 교사라면 한 번쯤 들어 보셨을 말이라고 생각합니다. 아이들은 빠른 길을 가고 싶어 하고 교사의 답이 가장 확실하다고 생각하기 때문이겠죠. 저는 이런 아이들의 모습을 보면서 답답함을 느꼈습니다. 그러다 우연히 옆 반 동료 교사께서 해주신 말씀을 듣고 학급 운영에 대하여 성찰해 보게 되었습니다. 그리고 이 직업놀이를 만났죠. "수현샘은 너무 친절한 것 같아. 그래서 다 알려주려고 하는 부분도 있어." 저는 아이들의 물음에 늘 먼저 답을 주는 교사였던 것 같습니다. 만족하며 돌아가던 아이들의 모습을 보며 저는 뿌듯함을 느꼈지만, 아이들은 내년에 다른 담임 교사에게 또 같은 질문을 하지 않았을까요? 저는 아이들이 스스로 하기 위해서는 '성취하는 경험'이 매우 중요하다고 생각합니다.

'시키지 않아도' 아이들은 친구들을 위해 신문을 쓰고, 뽑기 기계를 관리합니다. 또 설문조사를 해서 친구들에게 도움이 될 자료를 밤새 준비하고, 학급 파티를 계획하죠.

▲디자이너가 제작한 화폐

▲교실 파티 후 놀이 방법

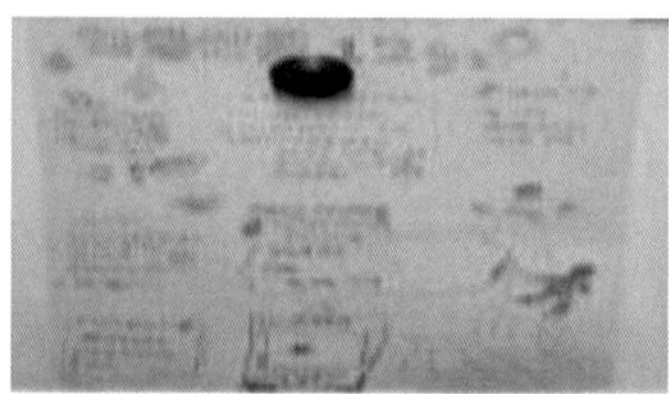

▲학급 기자단의 12월호 신문

▲학급 변리사가 연 교실 파티

▲직업놀이 컨셉 단체 사진

▲바리스타, 오늘의 배달

이 과정에서 아이들은 뿌듯함과 성취감을 느낍니다. 아이들의 꾸준한 실천을 위해서 무엇보다 흥미를 지속시킬 수 있는 다양한 방법이 필요하다고 느낍니다. 직업놀이가 잘 유지되기 위해 교사는 아이들의 관점에서 공감해주고 격려해 주며 끊임없이 관심을 가져줘야 합니다. 저 역시 부족한 부분을 채워 나가는 입장으로써 작년, 올해를 바탕으로 내년을 더 고민해야 할 부분이 많습니다. 제 사례를 공유하고 동료 교사들과 함께 실천해나가면 더 업그레이드된 직업놀이가 되지 않을까 기대가 됩니다.

두 눈이 반짝반짝,
흥미를 끌어올리는 4가지 방법

'흥미를 꾸준히 가질 수 있도록 어떻게 해야 할까?' 직업놀이를 시작하며 늘 고민하는 문제입니다. 제가 책을 보며 실천하고 고민한 네 가지 방법을 공유하고자 합니다.

첫 번째, 하고 싶은 일을 생각해보도록 합니다.

3월 탐색을 거쳐 마지막 주 직업놀이를 선택할 때는 '하고 싶은 일을 선택하기'를 강조해서 이야기합니다. 나의 장점을 살릴 수 있는 직업뿐만 아니라, 친구들을 돕기 위해서 해보고 싶은 직업을 고르면 시작하기도 더 쉽고 꾸준히 할 수 있기 때문입니다.

'학생이 중간에 그만두고 싶다고 하면 어떻게 해야 할까요?' 저는 우선 포기하고 싶은 이유를 함께 찾아봐야 한다고 생각합니다. '어떻게 시작해야 하는지 막막해서', '친구들이 협조해 주지 않아서'와 같은 경우 힌트를 주거나 협조를 끌어낼 방법을 함께 찾아

봅니다. 또 '정말 이 직업을 하고 싶어 했는지'를 이야기하며 자신이 원하는 일을 다시 찾아볼 수 있도록 도와줍니다.

2023년에는 제가 제시하였던 20가지의 직업으로 운영이 되었는데 2024년에는 아이들이 스스로 우리 반에 필요한 직업을 생각해보고 직업의 이름도 함께 지어보고 싶습니다.

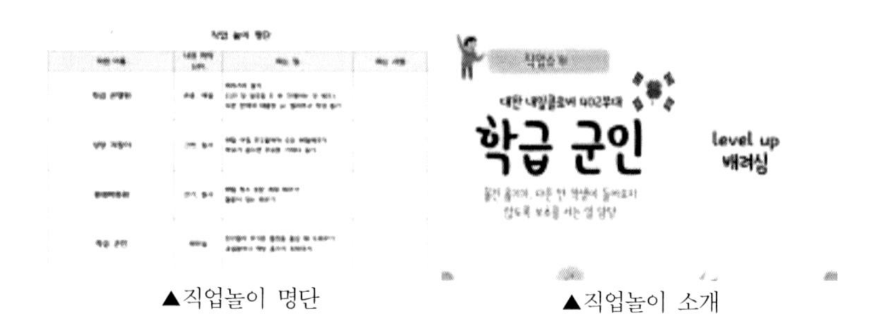

▲직업놀이 명단

▲직업놀이 소개

두 번째, 학급 미션을 활용합니다.

먼저 '고장 난 론'이라는 영화를 본 후 '친구가 되는 법'이라는 주제로 마인드맵을 함께 만들었습니다. '고장 난 론'은 어딘가 이상한 로봇인 론과 주인공 바니가 서로 친구가 되어가는 과정을 담은 영화입니다. 또 바니가 학교 친구들과 우정에 대하여 다시 생각해보는 과정을 그렸죠.

선생님: "얘들아, 론과 바니를 한 번 생각해보자, 친구가 되는 방법에는 어떤 것이 있을까?"

태진: "좋아하는 것을 함께해요"
하늘: "친구 처지에서 생각하기 위해 노력해요."
찬이: "위로해주고 사랑해줘요."
율희: "싫어하는 것으로 놀리지 않아요."

선생님: "맞아, 친구가 되기 위해서는 배려하고 공감하고, 사랑해줘야겠지? 그럼 우리 모두 좋은 친구가 되기 위해 함께할 수 있는 일을 생각해볼까?"

이렇게 우정에 대하여 생각해본 후 자신의 직업에서 친구를 도울 수 있는 일들을 적고 그중 5가지를 골라 미션을 세웁니다.

세 번째, 가치 통장을 활용합니다.

직업놀이를 처음 진행하였을 때는 아이들에게 월급을 주었습니다. 그 돈으로는 먹을 것이나 쿠폰을 사거나, 자리를 청약할 수 있도록 하였습니다. 이 방법도 좋았지만, 저는 아이들이 이 직업을 통해 얻는 보람을 알게 해주고 싶은 마음이 컸습니다. 그래서 올해는 월급은 과감히 없애고 가치 통장을 만들어 사용하였습니다.

▲채우고 있는 가치통장의 모습

▲가치통장 완성 후 쓴 편지

1. 가치 통장 안에는 28개의 보석이 있습니다. 제가 해린이를 도와주면 해린이가 보석 위에 자기 이름과 도움받은 날짜를(김해린, 9/28) 함께 적습니다. 28개로 보석의 개수를 정한 이유는 하루에 한 번씩 친구를 도우면 좋겠다고 생각했기 때문이죠.

<같이의 가치 보석을 교실에서 활용하는 모습>

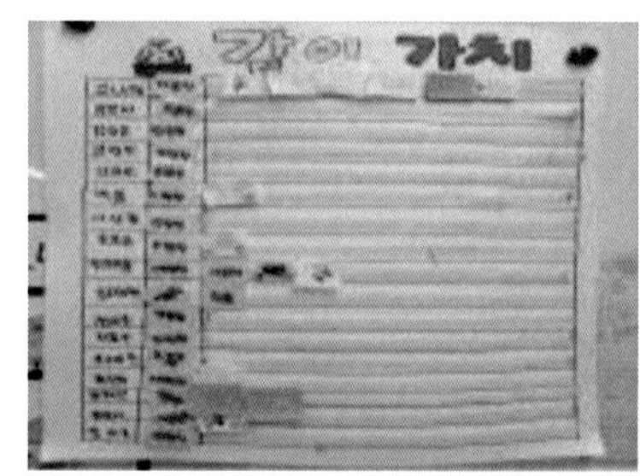

▲가치 보석 기록판

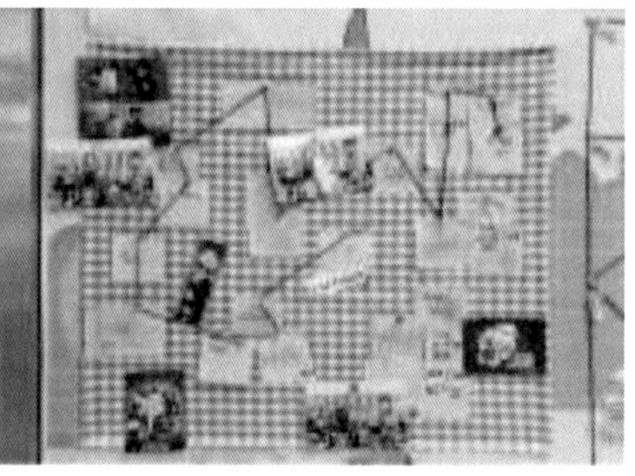

▲친구가 되는 법 마인드맵

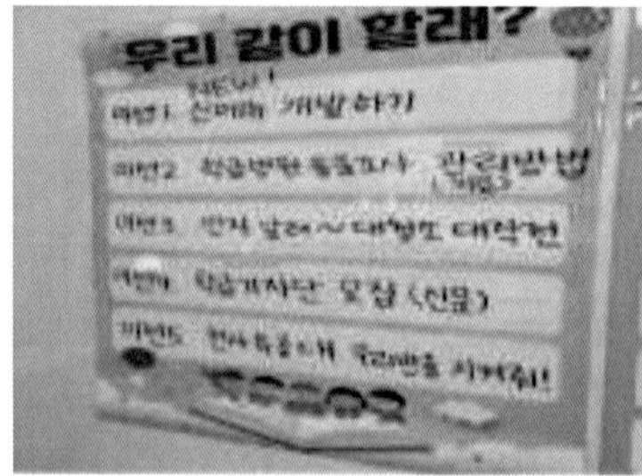

▲학급 미션 5가지

▲가치 보석을 10개 모은 해린

2. 보석 위에 사인을 받으면 '설문 조사지를 만들었다.', '친구들에게 수학 문제를 알려줬다.', '신메뉴를 개발했다.' 등 자신이 그날 친구들을 위해 한 일을 적습니다.

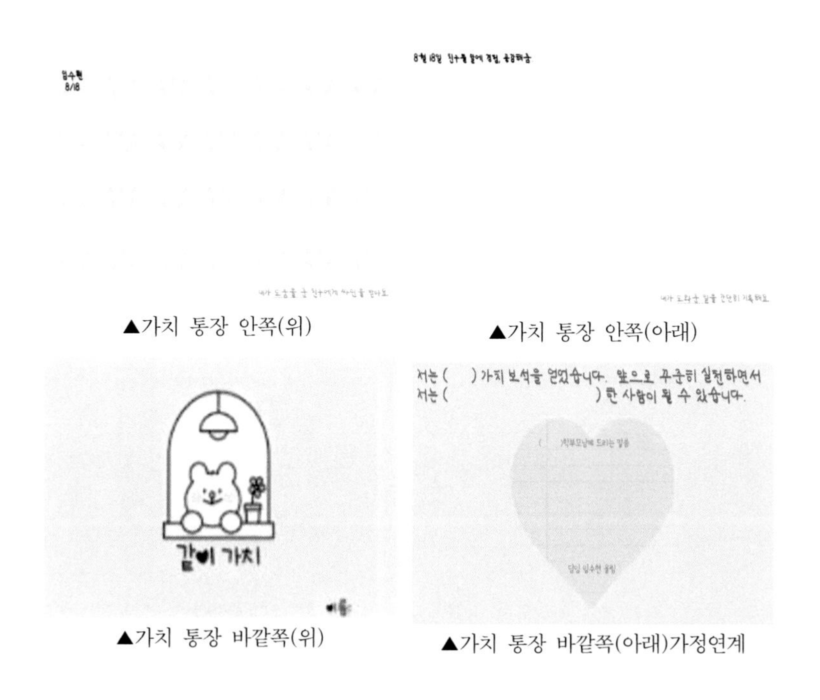

▲가치 통장 안쪽(위) ▲가치 통장 안쪽(아래)

▲가치 통장 바깥쪽(위) ▲가치 통장 바깥쪽(아래)가정연계

3. 꼭 친구들만 적어줘야 하는 것은 아닙니다. 스스로가 사인하는 때도 있습니다. '용기를 내어 임원선거에 참여했다.' '원데이클래스에 참여하였다.'처럼 직접 도와준 일이 아니어도 노력한 부분을 적을 수 있습니다. 노력한 부분은 교사가 발견하여 칭찬해 준 뒤 스스로 적어볼 수 있도록 하였습니다.

4. 통장을 다 채우면 아이들과 가치 카드를 가지고 28개의 보석을 통해 내가 얻은 가치를 선택하게 합니다. 아이가 배려를 골랐다면 배려를 실천하면 어떤 어른이 될 수 있는지 이야기합니다.

5. 통장 뒷면에는 학부모님께 드리는 편지가 있습니다. 잘하고 있는 아이의 모습을 가정에서도 보시고 칭찬, 격려할 수 있도록 적습니다.

■ 학부모님께 드리는 편지 예시

'해린이가 벌써 두 번째 쿠폰을 채웠습니다. 이 과정에서 자신의 정직함 (무엇을 바라지 않고 도와줌)을 느꼈다고 합니다. 이러한 경험이 쌓이면 무엇이든 도전하는 용기 있는 사람이 될 수 있다고 합니다. 해린이가 용기 있는 사람이 되어 사회에서 큰 사람이 될 수 있을 것이라 믿습니다.

-담임 임ㅇㅇ 올림-'

가치 보석을 가장 많이 모은 해린이는 13가지의 가치를 모아 인성 왕이 되었습니다. 그다음 나경이는 7가지, 하륜이는 4가지를 모았습니다. 제가 가치 통장을 진행하며 아쉬웠던 점은 19명 중 8명의 아이만 2가지 이상의 가치 보석을 모았다는 것입니다. 나머지 아이는 중간에 포기하거나, 가치 통장을 잃어버려 의욕을 잃은 아이도 있었습니다. 내년에는 보석의 수를 줄여서 아이들이 포기하지 않고 쉽게 도전하도록 하고 싶습니다. 또한, 격주로 가치 보석을 1개 이상 추가로 모은 아이들을 대상으로 '인성왕 파티'를 열어 친구들 앞에서 축하해주고 싶습니다.

네 번째, 원데이클래스(직업놀이 몰입클래스)를 활용합니다.

▲원데이 클래스
(오프라인)

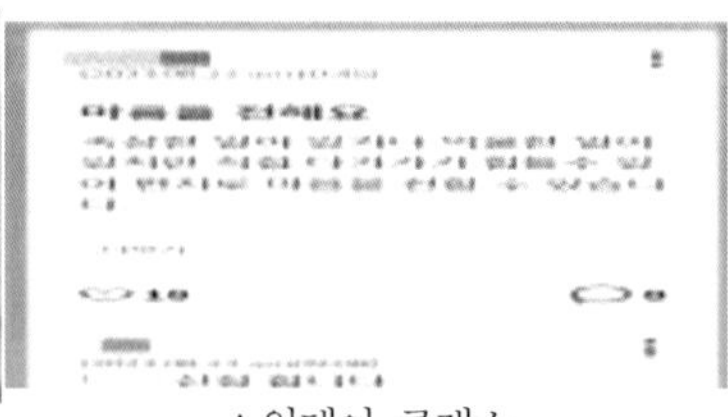

▲원데이 클래스
(온라인 모집_ 띵○벨)

▲원데이 클래스
네 잎 클로버 종이접기

▲사회 교과 연계 원데이 클래스
내가 살고 싶은 집 그리기

2학기를 시작하면서 중간놀이 시간, 점심시간에는 자율적으로 원데이 클래스를 운영하였습니다. 패들○을 활용하여 온라인으로 상시 모집을 진행하였는데, 패들○ 링크를 QR코드로 뽑아 칠판에 붙여놓고 아이 스스로 모집 글을 올릴 수 있도록 하였습니다. 디자이너 친구들은 이 주의 원데이 클래스를 파악하여 보드에 적어놓았고 참여하고 싶은 아이는 댓글을 남겼습니다. 저희 쪼꼬미 반도 종이접기, 상담, 문제 풀이, 만들기 등 다양한 분야의 원데이 클래스가 진행되었습니다.

원데이 클래스의 가장 큰 장점은 도움을 주고받는 과정에서 더욱 친해질 수 있고, 다른 친구의 장점을 발견할 기회가 된다는 것입니다. 또 관심사가 비슷한 아이들끼리 모여 더욱 재미있게 쉬는 시간을 보낼 수 있죠. 아이들이 필요한 재료는 미리 확인하여 준비해주었고 저도 종종 참여하여 함께 시간을 보냈습니다. 2024년에는 '이 주의 선생님' 코너를 운영하여 원데이 클래스를 운영해준 친구들을 인정해주는 시간을 갖고 싶습니다

마지막으로 1년을 마무리하며 제자에게 받은 편지를 소개하고 싶습니다. 이 아이에게 4학년 2반이 배움이 즐거운 교실이 된 이유는 교사의 관심으로부터 온 따뜻함 때문이라고 생각합니다. 아이들은 교사의 말과 생각을 먹고 자란다고 하죠. 어떤 학급 경영 방식이든 아이들에게 따뜻함을 나눠 줄 수 있는 교실이 되길 소망합니다.

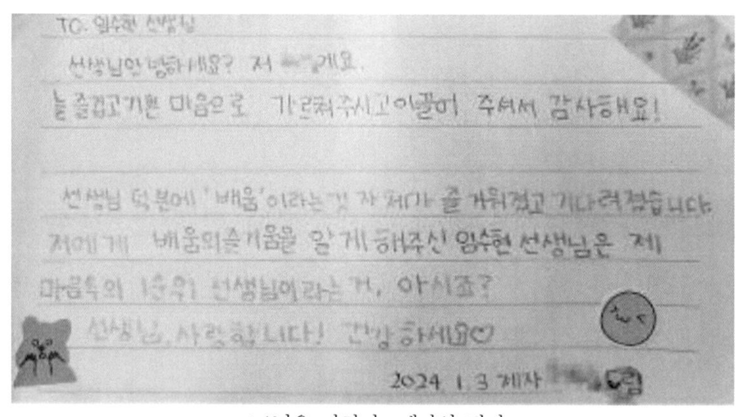

TO. 임수현 선생님

선생님 안녕하세요? 저 [illegible]예요.

늘 즐겁고 기쁜 마음으로 가르쳐주시고 이끌어 주셔서 감사해요!

선생님 덕분에 '배움'이라는 것 자체가 즐거워졌고 기다려졌습니다.

저에게 배움의 즐거움을 알게 해주신 임수현 선생님은 제 마음속의 1순위 선생님이라는 거, 아시죠?

선생님, 사랑합니다! 건강하세요♡

2024. 1. 3 제자 [illegible] 드림

▲1년을 마치며 제자의 편지

제4화

한 명 한 명이 주인공이 되는 우리 반

리미샘, 경기, 2년 차

의미 있는 하루 만들기

2022년 첫 발령을 5학년으로 받고, 이 아이들과 졸업까지 꼭 함께하고 싶다고 생각하게 되었습니다. 그래서 2023년에 6학년 담임을 맡게 되었습니다. 2년을 함께 하는 아이들이 있다 보니, 좀 더 재미있고 1년을 쭉 끌고 갈 수 있는 학급 경영 방식을 고민하게 되었습니다. 그러던 중, 도서관에서 <교실 속 직업놀이> 책을 발견하고, 이거다! 하고 선택했습니다.

'5~6학년 시기엔 학교에 대한 매너리즘이 오는 아이들이 있다.'

학부모 총회 당시 제가 직업놀이 도입 배경을 설명하며 한 말입니다. 작년에 아이들의 주제 글쓰기를 읽어보거나, 쪽지 상담을 할 때, 학교가 재미없다, 시시하다는 말이 종종 있었습니다. 이유는 공통으로 본인이 하는 일 없이 수업 시간에 멍하니 앉아 있다가 하교한다는 점이었습니다. 저는 아이들이 학교에서 의미 있는 일을 하나라도 하고 하교하면 좋겠다고 생각했습니다. 나의 역할 하나가 친구들에게 도움을 주고 '고마워'라는 말을 듣는 것만으로 아이들은 뿌듯함을 느끼고, 학교에 온 의미를 찾을 수 있을 것으로 기대했습니다.

3월 둘째 주에 인턴 기간을 거치면서 아이들이 직업놀이가 무엇인지 경험하는 시간을 가졌습니다. 가장 하고 싶은 하나의 직업을 선택해서 일주일 동안 경험해 보고, 감사 통장을 쓰면서 우리 반 직업놀이의 목표인 '하루에 하나 이상 의미 있는 일 하기'를 경험했습니다. 제 예상보다 훨씬 열광적인 반응이라 인턴 기간이 끝나면 어떤 직업을 할지 미리 목록을 쓴 친구도 있었습니다.

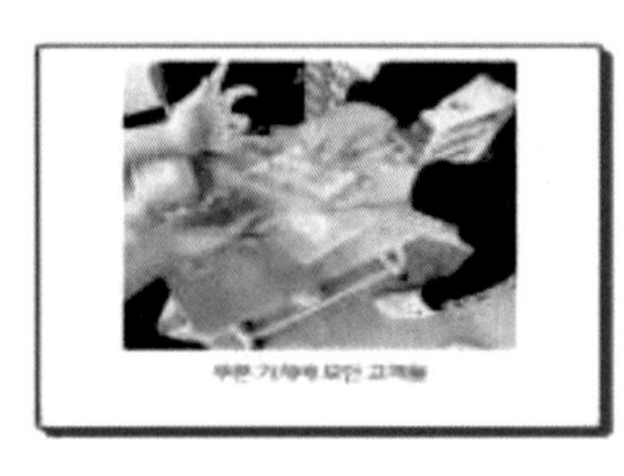

▲쿠폰 가게 사장

▲우편 배달부

▲한글 컨설턴트

▲간판 제작자

인턴 기간 이후, 아이들은 자기가 하고 싶은 직업을 원하는 만큼 선택했습니다. 그동안 1인 1역을 정하면서 일부 역할에 몰려 가위바위보를 하게 되는 상황이 없어서 모두가 만족스러운 3월이 시작되었습니다.

저의 기대 이상으로 아이들은 훨씬 능동적으로 직업놀이에 참여했습니다. 주제 글쓰기에도 직업놀이가 재미있다는 이야기가 많았고, 학부모 상담에서도 모든 학부모님께서 'OO이가 직업놀이가 너무 재밌다고 해요', 'OO이가 집에서도 계속 직업놀이 얘기를 해요'와 같은 이야기를 하셨습니다. 아이들이 직업놀이에 익숙해졌을 무렵, 일회성 직업인 '파티플래너'를 모집했습니다. 올해 아이들과 만난 후 며칠이 지났는지 세고 있었는데, 100일이 다가왔기 때문이었습니다.

▲어린이들이 준비한 감사장

▲랜덤 뽑기 게임 키워드

▲파티 플래너들이 엔트리 뽑기 게임

▲랜덤 뽑기 게임 예시

100이라는 숫자가 특별한 의미를 갖는 만큼, 아이들이 직접 100일 파티를 준비할 수 있도록 하였습니다. 학급의 25명 아이 중 6명이 자원했고, 그 준비 과정은 저에게 철저하게 비밀에 부쳐졌습니다. 2주의 치열한 준비 끝에, 6월 9일 점심시간이 되었습니다. 별안간 저를 교실에 들어오지 못 하게 하더니 파티 플래너의 지휘하에 무언가를 열심히 준비하는 학급 어린이들이 창문 너머로 보였습니다.

1기 파티 플래너 어린이들의 성공적인 파티 진행 덕분에, 교육과정 발표회, 졸업 파티 등 학급 및 학교 단위의 크고 작은 행사는 모두 파티 플래너를 자원 받아 계획부터 실행까지 이어졌습니다. 아이들은 우리가 참여하는 행사에 주인이 되어 준비하고, 정말 하고 싶었던 활동을 할 수 있어 의미 있었다고 이야기했습니다.

직업놀이를 통해 우리 아이들은 일 년 동안 교실에서 자신이 존재하는 이유를 찾을 수 있었습니다. 더 나아가 학교 활동의 주인이 되고, 주체적으로 계획하고 준비하며 행사를 진행하는 과정에서 저마다 다른 것을 배웠을 것입니다. 25개의 서로 다른 꽃이 만나 아름다운 꽃밭을 만들어 직업놀이라는 바람에 함께 몸을 맡기며 행복한 일 년을 보내게 되었습니다. 저는 앞으로도 몇 학년을 맡든 직업놀이를 학급 경영에 활용할 것입니다. 학교에서의 6시간을 의미 있게 보낼 수 있는 최고의 학급 경영 방식이기 때문입니다.

제 5 화

1학년도 잘해요

꾸물꾸물샘, 경기, 2년 차

무한한 가능성의 1학년

1학년 30명으로 구성이 되어있고, 학급에 학생 수가 많아 '우리 반'이라는 소속감을 느끼기 어려웠습니다. 반 이름도 지어보고, 반 구호도 정했지만, 아직 내가 우리 반의 소중한 존재라고 느끼기에는 부족했습니다. 우연히 동료 교사의 추천으로 직업놀이 연수를 들었습니다. 직업놀이가 지금 우리 반에 꼭 필요하다고 생각했습니다. 직업놀이를 통해 전달하고 싶은 메시지는 2가지였습니다.

첫째, 나는 우리 반의 꼭 필요한 소중한 존재야.
둘째, 우리 반은 다함께 만들어.

한편으로는 '학교에 적응하고, 수업 시간에 앉아 있기도 어려운 1학년이 가능할까?' 생각이 들었습니다. 1학년 교실은 아시다시피 정신없습니다. 하루에도 몇 번씩 모든 아이가 교사를 찾습니다.

처음에는 놀이라는 말에 신나고, 관심을 보였습니다. 4, 5월은 교사가 정해준 직업을 신청하는 형식으로 진행했습니다. 두 달간의 직업놀이를 한 학생들은 '저는 직업을 많이 못 했어요'라는 말이 나왔습니다.

저는 "직업을 더 만들거나 없애볼까?"라는 하나의 질문을 했지만, 아이들은 신나게 자기 상상력을 펼쳤습니다. 직업 회의를 했고, 상대적으로 덜 활동하는 직업과 비슷한 직업은 없애고, 필요한 직업을 만들었습니다. 특히 기억에 남는 직업은 그때 반에 독감이 유행했고, '손 소독 관리사'라는 직업을 만들었습니다. 교실에 도움이 필요한 부분을 스스로 살피며 필요한 직업을 만든 학생들이 대견했습니다. 1학년도 충분히 가능한 일이구나 생각했습니다.

학부모 상담에서 많이 들은 말은 "직업 자랑을 했어요. 반을 위해 무언가를 하는 게 뿌듯한 것 같아요"입니다. 예를 들어 "오늘 '안전지킴이'를 해서 친구들이 복도에서 안 위험하게 해줬어"라는 이야기가 있었습니다. 직업을 통해 우리 반의 소속감을 느끼고, 자기가 무언가 반을 위해 공헌했다는 사실이 기뻐 보였습니다.

1학년도 자신의 의지로 친구들과 소통해서 직업을 만들고, 없애며 서로 도와가며 직업을 하는 모습을 보았습니다. 혹시 저학년이라 고민하는 동료 교사들께 망설이지 말고 도전하라고 추천하고 싶습니다. 충분히 스스로 할 수 있습니다.

1학년이기 때문에 6학년만큼 큰 프로젝트를 하지는 못하지만, 1학년이기 때문에 작은 직업도 소중하게 책임감을 가지고 합니다. 시간마다 척척 자신의 직업 역할을 하는 것은 물론이고, 직업을 가진 친구들을 존중하며 자신이 즐거운 일까지 찾습니다. 직업놀이를 통해 1학년의 성장 가능성은 무한함을 느꼈습니다.

memo

제6화

초보 담임의 직업놀이 도전기

이스마일샘, 충북, 2년 차

직업놀이 학급운영, 시작이 반이다!

저는 2년 차 교사입니다. 1년은 영어 전담을 맡아서 담임으로서 한 반을 맡는 경험은 이번이 처음이었습니다. 처음 맡는 담임에 어떻게 학급 경영을 할지에 대한 고민이 많았습니다. 그때 직업놀이와 관련된 학급 경영책을 만났습니다. 직업놀이! 제가 어릴 때부터 했던 놀이였습니다. 전 어릴 때부터 학원 원장 선생님 역할 놀이를 하면서 공부했던 적이 많았습니다. 스스로 역할을 부여하니 몰입력이 높아지고 자존감도 올라갔습니다. 무엇보다 더 배우고 공부하고 싶다는 열정이 생기니 일상에 활력이 돌았습니다. 그래서 직업놀이 책을 보고 이거다! 라는 느낌을 받았습니다. 운 좋게도 주변에 직업놀이에 관심 있는 동기들이 학급 운영에 대한 조언과 미리 직업놀이로 학급 경영을 해본 경험을 공유해주었습니다. 하지만 생각보다 시작이 쉽지 않았습니다. 사실 뜬구름잡기식으로 머릿속에 활동 등을 떠다니기만 하고, 막상 뭐부터 해야 할지 막막함이 크더라고요. 돌이켜보면 저만의 틀이 잡히지 않는 초기라서 그런 것이 당연했습니다.

저처럼 직업놀이를 어떻게 할지 감이 안 잡히시는 분들은 일단 시작해 보세요! 직업을 부여하고, 클래스도 열어보세요! 완벽하게 시작하는 것은 불가능하다! 시작이 반이다! 라는 생각으로 말이지요.

1학기는 연습게임

■ 직업놀이를 진행하며 카페에 쓴 글 조각 모음 (1)

1학기 때 큰 준비 없이 일단 해보자는 마음으로 직업놀이를 시작했습니다. 올해 5학년 담임을 맡아서 큰 준비 없이 고학년 버프를 믿고 해보았어요~ 일단 직업에 대해 소개하는 시간을 창체시간을 빼 2시간 동안 설명해 주었습니다.

한 명이 여러 직업을 고를 수도 있고, 한 번 정한 것이 고정되는 것이 아닌 직업 선택 주기마다 새롭게 고를 수 있다고도 안내했습니다. 무엇을 할지 모르는 아이들에게는 살며시 다가가 직업 추천을 하기도 했구요~ 아이들의 반응은 좋았습니다. 다만 아쉬웠던 건...1학기 때는 교사인 제가 준비한 소품들이 부족해서 아이들이 맘껏 직업놀이를 즐기지 못했다는 점입니다. 직업놀이를 할 때 필요한 기반이 되는 재료, 지료, 비탕이 되는 예시를 준비해 놓으면 아이들이 맘껏 주도적으로 프로젝트나 클래스를 할 수 있었을 텐데.. 하는 아쉬움이 들더라고요. 어떤 아이는 새로운 직업을 만들고 싶다고 했는데 제가 수업 진도와 업무에 치여서 2학기로 미뤘습니다.ㅠㅠ^^ 곧 있으면 개학인데 직업놀이를 할 수 있는 여러 자료를 받아서 아이들과 더욱 알찬 교실 활동을 해보고자 하네요^^

■ 직업놀이를 진행하며 카페에 쓴 글 모음 (2)

이렇게 카페 만들어 주셔서 다른 교사들의 후기를 보고 배워가서 좋네요~ 2학기 때하고~ 내년에 하고, 내후년에도 해보면 저도 직업놀이로 학급 운영을 수월하게 할 수 있겠죠?

■ 직업놀이를 진행하며 카페에 쓴 글 모음 (3)

1학기 때 직업놀이를 진행했습니다. 아이들도 스스로 할 일이 있으니 즐거워합니다. 할 게 없으면 남는 시간이 지루하다며 오히려 힘들어 하더라고요. 그런 측면에서 직업놀이는 누구나 교실에서 자신이 필요한 존재임을 느끼게 해주는 좋은 활동이었습니다.

■ 직업놀이를 진행하며 카페에 쓴 글 모음 (4)

저희 반은 스포츠 기획자라는 직업이 인기가 있었어요~ 각자 학급회의 때 체육 시간에 하고 싶은 활동을 정하고, 직접 그 주의 스포츠기획자들이 체육 시간을 준비해 주었습니다. 교사도 편하고 아이들도 적극적으로 참여하는 시간이 만들어졌습니다.

그리고 자신이 관심 있는 분야의 직업을 만들고 싶어 하는 아이도 생겼어요. 특수반 아이가 있는데 에너지 지킴이 역할을 꾸준히 하다 보니 친구들과 자연스럽게 교류도 하게 되고 웃으며 대화하는 모습이 많이 보여서 뿌듯했습니다. 2학기 때는 직업놀이가 더욱 제대로 진행되려면 필요한 자료들을 만들어놓으려 합니다^^ 2학기 때 직업놀이는 어떻게 진행될지 궁금하면서도 기대됩니다.

■ 직업놀이를 진행하며 카페에 쓴 글 모음 (5)

디자이너 아이들에게 일이 몰려서 힘이 든다고 하네요. 그래서 창체 시간을 활용하여 반 아이들과 인성왕 왕관을 만들었어요. 다양한 18가지 왕관이 뚝딱! 나왔습니다. 덕분에 1학기 일주일마다 인성왕을 뽑고 기념사진을 찍을 수 있게 되었어요~

■ 직업놀이를 진행하며 카페에 쓴 글 모음 (6)

직업놀이를 하면서 아이들이 책임감을 배우게 되네요. 자신이 맡은 일을 제대로 해내고 싶어 하는 마음이 기특하네요.

2학기부터 본격적인 직업놀이!

방학 때 아쉬운 부분을 보충하고 직업놀이 카페에서 유용한 자료들을 살펴보았습니다. 주변 동기들 중 직업놀이를 미리 하는 친구가 있어서 많은 도움도 받았습니다. 덕분에 1학기 때보다 체계적으로 직업놀이를 운영할 수 있었습니다.

2학기 때부터 본격적으로 시작된 직업놀이 활동 A-Z

Q. 1학기 때와 2학기 직업놀이의 차이점

2학기 때는 새롭게 시작해 보자는 마음으로 직업별 매뉴얼을 정하고 개학으로부터 2주간 인턴 기간 가졌습니다. 인턴 기간에는 1인이 최대 2개의 직업만 선택할 수 있도록 하였습니다.

추가로, 2학기 때부터는 통장제도를 적용하였습니다. 직업놀이와 학급 생활지도 방법으로 사용했습니다.

Q. 직업놀이에서 아이들이 직업을 매일 바꾸는 데 관리는 어떻게 할까요?

하루마다 직업 바꾸는 것은 담임인 제가 파악하기 힘들어서 직업 변경 주기를 일주일로 정했습니다. 매주 금요일 창체시간에 다음 주 가질 직업을 고르고 다음 일주일 직업 활동 스케줄 조정하는 시간을 가졌습니다. 금요일에 다가올 다음 주 일주일 동안 하고 싶은 직업 여러 개를 선택합니다. 한 직업에 사람이 모이면 같은 직업을 선택한 사람끼리 회의를 열어 요일마다 사람이나 팀을 나눠서 공지 사항에 붙여놓습니다.

■ 캐럿으로 할 수 있는 것(구체적 매뉴얼 정리)

① 연구실에 쌓여있는 작년 학습준비물을 상점에 내놓아서 캐럿으로 필요한 물품을 살 수 있도록 함.

② 캐럿 상점으로 간식을 사먹을 수 있음

③ 우리 반 전체 자유시간을 만들 수 있도록 반 전체에 캐럿 기부도 가능

④ 경매 활동에 참여할 수 있음

⑤ 1캐럿-실제 현금 100원의 가치, 알라택배나 천원 마켓에서 원하는 물건을 구매하는데 쓸 수 있음

⑥ 행운복권 추첨권으로 쿠폰을 뽑을 수 있음.

- 스크래치 행운권 : 한장에 5캐럿, 추첨권 가질 수 있음.
- 행운복권: 50캐럿, 급식실 1등으로 가기(점심시간에 판매)

1. 인성왕 상금: 5캐럿
2. 개인 통장 캐럿과 반 전체 캐럿이 각각 있음. 반 전체 캐럿이 200캐럿이 되면 교과 시간을 자유 놀이시간으로 바꿀 수 있음. 개인이 캐럿을 반 전체에 기부할 수도 있음.
3. 직업놀이 보상제도/ 하루에 일하면 무조건 1캐럿(직업 개수와 상관없음, 직업만 많이 가지고 일은 제대로 안 되는 경우를 막기 위함!) 클래스를 연 사람에게 1캐럿 지급
4. 하루에 클래스 참여한 아이에게 캐럿 부여(클래스 1개 참여-1

도장, 2개 참여-2도장) 무언가를 가르쳐주는 클래스뿐만 아니라 다른 친구 직업 활동에 방문하면 도장을 얻음/ 하루에 클래스 참석 도장 3개를 모으면->1캐럿을 얻게 됩니다~

예) 음악 디제이 라디오 부스에 사연 보내기, 마음 의사 상담 참여하기, 댄스 선생님의 클래스 참여하기, 태블릿 선생님의 PPT 클래스 참여하기, 곤충 박사의 곤충관찰 클래스 참여하기

7. 학급에서 미니 칠판이나 클립보드, 칠판 옆 초록 보드를 홍보칸으로 활발히 사용하는 것을 추천해 드립니다! 직업놀이는 교실 내 홍보칸 활용이 중요합니다!!

직업놀이 TIP. 교사의 역할은?

직업놀이를 직접 진행하며 느낀 점은 교사가 생각보다 할 것이 없다는 것입니다. 틀만 잡아주면 아이들이 그 속에서 주도적으로 활동하기 때문입니다.

저는 주로 아래와 같은 역할을 했습니다.

1. 명찰 대왕 많이 준비하기 : 한 직업당 5~7개씩
2. 한 직업에 지원자가 너무 많을 경우, 담임이 여러 조합으로 팀을 나눠주어 교우 관계가 두루 원만할 수 있도록 관리

제7화

우당탕탕 선생님

소정샘, 경기, 7년 차

실패가 아니라 경험이지!

"제가 왜 도와줘야 하는데요?"

학기 초 교실에서 정말 많이 들었던 말입니다. 협동과 소통의 가치를 배워야 하는 3-4학년 시기 코로나를 겪은 아이들은 짝과 모둠 활동의 부재로 '함께하는 가치'를 배우지 못한 것 같았습니다. 서로 작은 일에도 날을 세우고 자신의 것을 하나라도 나눠주기를 꺼리는 모습에서 정말 고민이 컸던 것 같습니다. 어떻게 하면 기억에 남는 6학년을 만들 수 있을까? 고민하다가 떠오른 '하나의 국가를 만들어서 아이들의 협동심을 끌어내면 어떨까?' 하는 생각에서 비롯된 국가 프로젝트는 미덕 교육과 직업놀이를 중심으로 이뤄졌습니다. 먼저 미덕을 통해서 국가의 정체성을 정하고, 자신의 미덕을 뽑았습니다. 이렇게 정해진 이름은 성장과 공감의 가치를 기반으로 하는 성공 반! 크게 기억에 남는 두 가지로 학급 활동을 설명하고자 합니다.

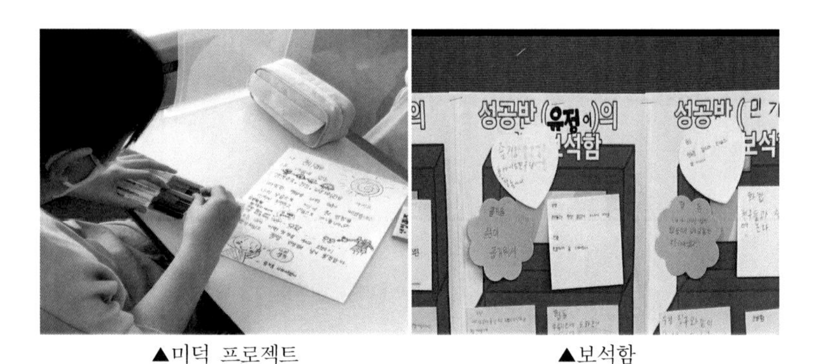

▲미덕 프로젝트 ▲보석함

첫 번째 우당탕탕 : 만능 포기러의 등장

물질만능주의적인 생각을 하는 친구들이 많은 학급이라 월급을 미덕으로 대체하여 진행했습니다. 미덕을 실현할 때마다 미덕 보석을 하나씩 받고, 이 미덕이 학급의 화폐 10무로 대신 바뀌는 형식이었습니다. 아이들이 돈보다는 직업놀이를 하며 베푸는 가치를 느끼고, 협동하고 책임감을 가지는 중요한 가치들을 배우기를 원했기 때문입니다. 그런데, "에이 난 절대 미덕을 못 모을 거야."라며 수가 틀리면 다 포기해 버리는 아이들이 있었습니다. 이 친구들은 평소 학급의 활동에도 어려움을 느끼면 쉽게 포기를 하곤 했습니다. 미덕을 그냥 줘버릴 수도 있었지만, 아이들이 작은 성취의 경험을 했으면 좋겠다고 생각했습니다. 그래서 작은 일이라도 하게 한 후 미덕을 주려고 노력했습니다. 삶은 끊임없는 도전과 과제로 가득합니다. 그래서 아이들이 쉽게 포기하지 않고 문제해결력을 기르기를 원했습니다. 문제해결력은 문제 상황에서 효과적으로 대응하고 적절한 해결책을 찾는 데 도움이 되기 때문입니다. 확실히 교사의 세심한 관찰이 필요하다는 생각이 드는 지점이었습니다.

이 문제가 발생한 후 학급회의 제도를 손보기 시작했습니다. 학급 회의에서 아이들이 제대로 된 의견을 내지 못할 때마다 끼어들던 교사가 입을 다물기 시작한 것이지요. 회의 주제를 찾는 것부터 아이 스스로 할 수 있도록 해야 했습니다. 학급 설문 조사를 통해 아이들이 대부분 문제로 생각하는 것이 무엇인지 찾을 수 있도록 도움을 주었습니다. 이후 회장과 부회장의 주도로 학급회의를 이끄는 과정을 여러 번 연습했습니다. 학급회의제도가 교실에 정착된 후 좀 더 체계적으로 '만성 포기러 등장 문제'를 활용하고자 성공국의 복지제도를 만들기로 했습니다. 그렇게 마련된 복지제도의 운영으로 파산할 경우 교사 자리 청소, 칠판 닦이와 같은 작은 일로도 자신의 역할을 수행하고 미덕을 채울 수 있도록 했습니다.

▲아이들이 진행하는 학급 회의1

▲아이들이 진행하는 학급 회의2

이를 통해 아이들의 자신감, 자존감이 올라갔고 같은 일이라도 효율적으로 또 재미있게 하려는 모습이 보였습니다. 이 경험을 통해 아이들은 문제가 생겼을 때 바로 포기하기보다는 자기들끼리 모여서 해결하려는 모습을 보이기 시작했습니다. 그중 다른 예가 바로 직업감독관의 등장이었습니다. 맡은 직업이 할 일이 없는 경우, 친구가 맡은 직업의 역할을 제대로 하지 않는 경우가 생긴다는 것을 아이들 스스로가 알게 된 것이지요.

그러자 학급회의를 통하여 아이 스스로 문제점을 찾고 보완해 나가기 시작했습니다. 학기 초 학급 회의 방식을 가르치는 데에는 공이 들었지만 뿌듯한 순간이었습니다.

두 번째 우당탕탕: 학급 콘서트의 등장!

직업놀이 몰입클래스의 일환으로 학기 말 교육과정을 변경하여 아이들이 만들어가는 수업 활동을 진행했습니다. 1-2명이 짝을 이뤄서 직접 친구들에게 재능을 기부할 수 있는 분야를 찾고 계획하고 실행하는 과정을 통해 아이들이 자기 자신에 대한 자기 확신을 가지는 경험을 성취했다고 생각합니다.

특히 또래 상담가 직업을 가진 친구가 고민 상담을 나누는 클래스를 열었을 때 생각보다 아이들이 자신의 고민을 진지하게 나누고 반응해 주는 모습에서 뭉클함을 느꼈던 것 같습니다. 어른의 시각으로 아이들이 못 할 거라고 지레짐작해 왔던 지난날이 반성 되었습니다. 믿어주는 만큼 아니 그 이상으로 성장한 아이들을 보는 재미가 있었던 한 해였습니다.

한 차례의 몰입클래스 이후 생겨난 다양한 직업 중 가수라는 직업을 가진 친구가 갑자기 콘서트를 열겠다고 나섰습니다. 혼자서 포스터를 만들고 홍보를 하면서 친구들이 자연스럽게 콘서트에 관심을 두게 되었습니다. 그러자 이벤트 플래너, DJ와 같은 직업들이 협업하겠다고 나섰습니다. 어느새 한 명의 콘서트가 학급 전체의 콘서트로 바뀌었습니다. 아이들 스스로 회의를 열어서 콘서트 진행 계획을 짜고 무대연출가, 사회자를 뽑았습니다. 학기 말에 아이들이 자발적으로 진행한 학급 콘서트는 성황리에 끝났습니다.

▲아이들이 직접 짜서 진행한 클래스 ▲직업 : 사서, 또래 상담가

교사로서 '정직해라, 열정을 가져라'와 같은 뻔한 말을 읊기보다는 인생에서 어떠한 가치가 필요할지 같이 고민하고 또 스스로 행동으로 옮길 수 있도록 도와준 한 해였다고 생각합니다.

13살 아이들과 직업놀이 프로젝트를 진행하며 많은 시행착오를 겪었고 이를 통해 아이들도 저도 많이 성장했다고 생각합니다. 큰 준비나 결심이 필요 없이 교사의 따스한 마음과 아이들만 있다면 충분히 만족스러운 한 해를 보낼 수 있을 거라 확신합니다. 직업놀이를 교육 현장에 적용하고자 고민하시는 많은 동료교사들에게 저의 과정을 함께 공유하여 조금이라도 도움이 되면 좋겠습니다.

memo

제 8 화

효과 좋네, 인성왕

하다보면언젠간샘, 강원, 24년 차

제 이야기는 결정하는 것을 너무너무 어려워하는 마음 약한 교사가 1년간 인성왕을 이어갈 수밖에 없었던 경험담입니다.

인성왕 시작! 첫 번째 성공!

직업놀이 인턴 2주 차, 인성왕을 준비했습니다.

'왕관 유치하지 않을까?'

'2~3명만 어떻게 뽑지?'

걱정이 많았지만 우선 질러보았습니다. 머뭇거리다 흘러간 안타까운 시간이 많았거든요. 아이들과 습관 66일 완성하기 프로젝트를 하고 있었기에 열심히 노력하는 사람에게 인성왕을 주겠다고 미리 공지했습니다. ppt를 만들고, 상장도 쓰고, 교실에 있던 친구에게 디자이너 알바를 부탁해 왕관 2개도 만들었습니다. 일주일 생활을 관찰하며 여러 친구 중에 선행왕, 노력왕, 책임왕을 뽑았습니다.

■ 선행왕, 노력왕, 책임왕

· 친구를 배려하고 돕는 모습을 자주 보여준 선행왕
· 약속을 지키고, 정리 시간에 다른 사람도 도운 노력왕
· 아침 정리 시간에 친구들이 시간 내에 정리할 수 있게 도와준 책임왕

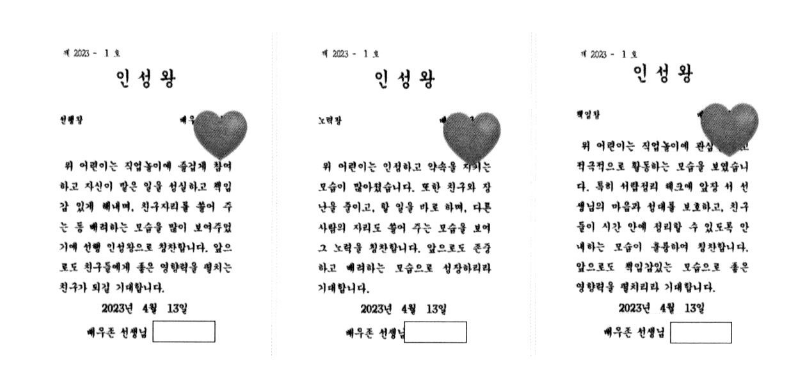

제 2023 - 1 호

인 성 왕

선행왕

위 어린이는 직업놀이에 즐겁게 참여하고 자신이 맡은 일을 성실하고 책임감 있게 해내며, 친구자리를 쓸어 주는 등 배려하는 모습을 많이 보여주었기에 선행 인성왕으로 칭찬합니다. 앞으로도 친구들에게 좋은 영향력을 펼치는 친구가 되길 기대합니다.

2023년 4월 13일

배우존 선생님

제 2023 - 1 호

인 성 왕

노력왕

위 어린이는 인정하고 약속을 지키는 모습이 많아졌습니다. 또한 친구와 장난을 줄이고, 할 일을 바로 하며, 다른 사람의 자리도 쓸어 주는 모습을 보여 그 노력을 칭찬합니다. 앞으로도 존중하고 배려하는 모습으로 성장하리라 기대합니다.

2023년 4월 13일

배우존 선생님

제 2023 - 1 호

인 성 왕

책임왕

위 어린이는 직업놀이에 관심 [illegible] 적극적으로 활동하는 모습을 보였습니다. 특히 서랍정리 체크에 앞장 서 선생님의 마음과 심대를 보호하고, 친구들이 시간 안에 정리할 수 있도록 안내하는 모습이 훌륭하여 칭찬합니다. 앞으로도 책임감있는 모습으로 좋은 영향력을 펼치리라 기대합니다.

2023년 4월 13일

배우존 선생님

드디어, 인성왕 뽑는 금요일, 인성왕의 분위기를 살리기 위해, 왕관을 쓰고 아이들을 맞이했습니다.

"선생님 그게 뭐예요?"
"응, 오늘 인성왕을 뽑을 거야."

등교 인사를 하는 아이마다 질문을 합니다. 1교시 영어 선생님이 오셔서 관심을 보여주시기에 "우리 반 인성왕이 쓸 왕관이에요.

선생님도 써보세요." 하고 씌워드렸어요. 고맙게도 잘 받아주셔서 아이들의 흥미도 커졌습니다.

"선생님, 영어 선생님이 인성왕 누가 됐는지 알려달라고 하셨어요." 인성왕을 언제 뽑는지, 누구인지 교실이 웅성웅성해집니다. 다시 한번 인성왕이 무엇인지, 인성왕 파티는 어떻게 할지 알려주고, 인성왕 파티를 위해 홍보팀에 축하공연도 의뢰했습니다. 다른 학교 활동사진도 보여주며, 인성왕을 위한 선물을 준비해도 좋다고 하였습니다.

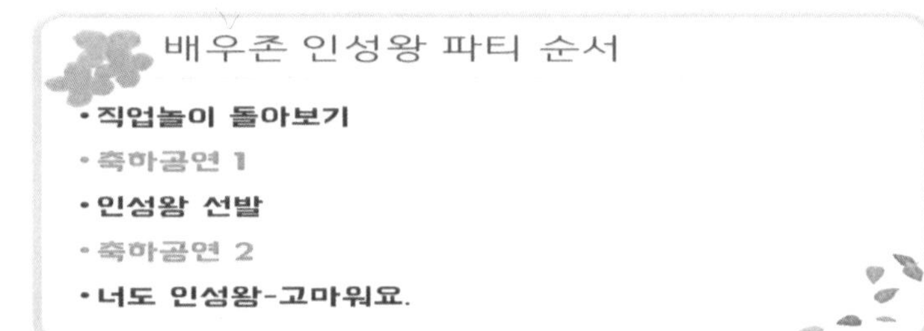

▲인성왕 파티 순서

드디어 인성왕 발표 시간! 왕관이 하나 부족해서 선물로 꽃다발을 준비한 친구에게 왕관 대신 써도 된다는 허락을 구했습니다. 직업놀이 돌아보기 써클을 하고, 축하공연을 보았습니다. 미처 신청하지 못한 친구는 아쉬워하며 앉아서 크게 노래를 불러주었습니다. 인성왕이 어떤 것인지 설명해 주고, 상장 문구를 읽어줍니다. 그때부터 수수께끼 시간! 설명을 보고 자기가 생각하는 인성왕을 추측하는 소리들이 들립니다. 관심도 쭉쭉 올라갑니다.

인성왕

인성왕은 우정, 배려, 성실, 약속, 노력, 존중, 정직, 인정, 봉사, 안내 등 선한 영향력을 주는 사람입니다.

선행왕

위 어린이는 직업놀이를 즐겁게 참여하고 자신이 맡은 일을 성실하고 책임감 있게 해내며, 친구 자리를 쓸어 주는 등 배려하는 모습을 많이 보여주었기에 선행 인성왕으로 칭찬합니다.

▲인성왕 설명자료

칭찬 내용을 알리고 인성왕을 발표했습니다. 누구인지 밝히자 ○○영화제의 주인공처럼 감격한 친구가 일어섭니다. 시상 도우미와 사진도 찰칵! 만약에 인성왕을 시작하시는 분이 있다면 첫 번째 친구는 감동, 감탄, 반응이 좋은 친구를 추천해 드립니다. 의도한 것은 아닌데 첫 번째 친구가 정말 시상식 대상처럼 기뻐하며 일어나서 분위기가 훅 살았거든요.

▲인성왕 발표와 너도 인성왕

누구는 주고, 누구는 안 주고. 결정이 어려웠던 저는 첫 번째 인성왕 때, '너도 인성왕'을 해보았습니다.

"선생님이 인성왕을 세 명만 주었지만, 우리 반에 칭찬받을 사람이 많잖아요. 그 사람들을 위해 너도 인성왕을 써줘요."

친구 사랑 주간으로 잔뜩 산 엽서를 '너도 인성왕' 상장으로 이용했습니다. 시간을 주고 쓰게 합니다. 2~3장 쓰는 친구도 있습니다. 저는 우선 쓰게 하고, 한꺼번에 전달하게끔 했습니다. 마음 변호사로 친구를 많이 도와준 친구, 항상 적극적으로 나서서 5장이나 받은 친구는 많이 받았다고 자랑합니다. 못 받았다고 한 친구는 다음 주 친구들을 많이 도와주자고 응원했습니다.

수업이 끝나고 정리를 하는데, 우리 반 엉뚱이가 옆을 맴돌며 자꾸 도울 것을 찾습니다. 한 친구는 제게 책을 빌려주고 갔습니다. 한참을 그러다 한 여자 친구가 앞에 있는 것을 보고 깜짝 놀라 "연두야. 선생님이 너 가라는 말을 안 해줬니? 걱정되어 물으니 교실 책상들을 가리키며 자기가 다 정리했다고 알려주고 갑니다. 인성왕 유치할까 걱정하는 마음이 효과 좋네로 바뀌는 순간이었습니다.

▲바른 인성이 쑥쑥 자라는 아이들의 생활 속 변화

인성왕 고비!

인성왕을 하며 몇 가지 고비가 찾아왔습니다.

첫 번째는 역시 누구를 뽑는지의 문제였습니다. 첫 번째 인성왕 날 책상을 정리하고 간 친구는 두 번째 인성왕 때 뽑히지 않았을 때 결국 눈물을 보였습니다. 제가 정한 기준은 지속적인 노력이었고, 그 부분에서 꾸준한 노력을 한 친구와 세워 주고 싶은 친구를 뽑았거든요. 많은 아이들이 인성왕을 꿈꾸었고, 그 마음을 생각하니 선뜻 2~3명으로 하기가 점점 더 어려웠습니다. 결국에는 7명을 뽑기까지 해버렸지요. 그 결과, 시간은 지루해지고, 폭발적인 기쁨은 줄어만 갔습니다.

두 번째는 시간의 문제였습니다. 저희 반은 직업놀이 중 기자팀이 가장 활성화되었습니다. 그래서 매일 학급 뉴스 시간에 아나운서는 진행, 영양팀은 급식 소개, 기자팀은 소식 전하기, 북카페 매니저팀은 책 소개, 외교팀은 나라 퀴즈를 합니다. 또 매주 신뢰써클로 학급에 있었던 일을 정리하다 보니 인성왕 파티 시간이 부족했습니다.

세 번째는 비교였습니다. 병은이는 인성왕의 효과를 많이 본 친구였습니다. 상상력이 풍부하고 엉뚱한 매력이 있지만, 동생 같은 면이 있어 옆에는 있지만 동등한 놀이 상대는 되지 않는 친구였지요. 이 친구가 인성왕을 뽑는 걸 보더니 급식을 골고루 먹고, 직업 놀이 참여하기에 적극적으로 변했습니다. 이때 아나운서를 시작해 1년 내내 뉴스를 진행하고, 교과서를 읽었지요. 하루는 병은이가 벽면에 전시된 역대 인성왕들을 보며 "효주는 인성왕 3번, 인성이는 1번이네!" 할 때 아차차 했습니다. 축하와 응원이 비교가 될 수도 있겠구나 싶었지요.

그럼에도 불구하고 인성왕!

3학년 수학 마지막 단원은 그림그래프입니다. 주제를 정하여 그림그래프로 표현하는 시간에 우리 반에 가장 기억에 남는 활동으로 인성왕이 가장 많이 나왔습니다. 심지어 교실 놀이가 포함된 신뢰써클을 넘어섰습니다. 그것이 선택의 문제, 시간의 문제, 비교의 문제가 있음에도 30회의 인성왕을 뽑게 했습니다. 월요일에 되면 아이들이 묻습니다.

"선생님, 인성왕 뽑아요? 몇 명 뽑아요?"

아이들은 인성왕이 되기 위해 노력합니다. 글씨 단정하게 쓰기, 수업 시간에 경청하기, 바르게 행동하기, 급식 골고루 먹기, 할 일 바로 하기, 인정하고 사과하기! 아이들의 변화가 인성왕을 뽑도록 합니다.

인성왕을 뽑으려면 교사는 관찰을 열심히 해야 합니다. 잘 하는 친구는 계속 노력하게, 세워줘야 하는 친구는 전과 다른 노력을 찾아 알려줍니다. 4명 이하의 인성왕을 뽑는 이유와 인성왕을 뽑는 기준, 인성왕이 되려면 어떻게 해야 하는지도 계속 이야기해 줍니다. 이 이야기는 아이들에게 하는 이야기인 동시에 인성왕을 처음 시작하는 교사에게도 길잡이가 됩니다.

인성왕은 관계를 만듭니다. 친구들의 노력을 보게 하고 칭찬하며 응원하게 합니다. 인성왕으로 뽑힌 친구는 교사와 친구들에게 긍정적인 감화를 받습니다. 문제가 생겼을 때도 자신의 장점을 찾아 주는 교사와 친구들이기에 인정하고 사과하는데 빨라집니다. 믿음이 쌓이는 교실은 문제를 평화롭게 해결하게 도와줍니다.

30대 인성왕은 아이들이 뽑게 했습니다. 그리고 동생 같은 친구 병은이가 가장 많은 표를 받았습니다. 사실 병은이는 공부를 잘하는 친구는 아닙니다. 수업 시간에 공상하기를 좋아해서 질문에 우연히 걸리면 당황하기 일쑤지요. 그렇지만 병은이는 너도나도 인성왕을 쓸 기회가 올 때마다 2쪽 넘게 친구들의 장점을 자세하게 찾아 줍니다. 손가락이 아파서 주먹을 쥐었다가 풀었다가 하면서도 남아서 한 바닥 쓰고 자랑스러워합니다. 친구들은 병은이가 칭찬하는 점을 알고, 고운 말을 사용하고 열심히 하는 병은이의 장점을 마음에 새겨둡니다. 그리고 마지막 인성왕으로 병은이를 추천했습니다.

인성왕은 아이들이 스스로 노력할 점을 찾아 꾸준히 노력하게 합니다. 그리고 누구나 주인공으로 만들 수 있습니다. 교실은 서로의 장점을 찾고 노력을 인정하는 분위기가 형성됩니다. 그 속에서 교사는 아이들을 긍정적으로 바라보고 기다리는 믿음을, 아이들은 스스로 할 수 있다는 자신감을 기를 수 있습니다.

▲바른 인성이 쑥쑥 자라는 아이들의 생활 속 변화 1

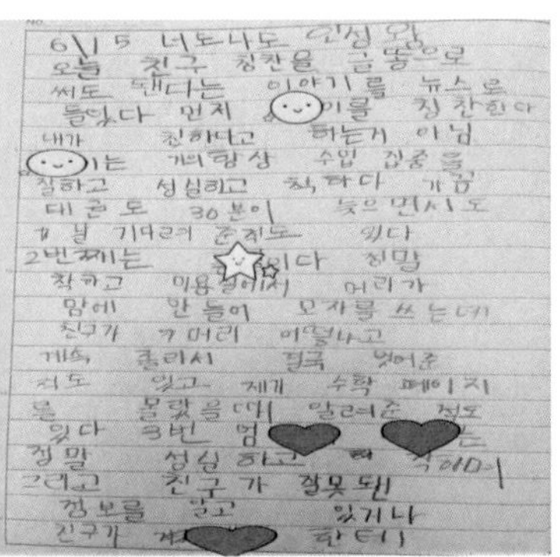
6/15 너도나도 인성왕
오늘 친구 칭찬을 글똥으로
써도 된다는 이야기를 뉴스로
들었다 먼저 이를 칭찬한다
내가 친하다고 하는거 아님
이는 거의 항상 수업 집중을
잘하고 성실하고 착하다 가끔
대출도 30분이 늦으면서도
날 기다려 준적도 있다
2번째는 이다 정말
착하고 미용실에서 머리가
맘에 안들어 모자를 쓰는데
친구가 머리 이쁘다고
계속 졸라서 결국 벗어준
적도 있고 제가 수학 페이지
를 몰랐을때 알려준 적도
있다 3번 멈 는
정말 성실하고 착하며
그리고 친구가 잘못된
정보를 알고 있거나
친구가 한테

▲바른 인성이 쑥쑥 자라는 아이들의 생활 속 변화 2

제9화

이런 6학년 생활은 처음이야

토모샘, 전남, 5년 차

교사인 나보다 아이들이
더 열심히 활동한 직업놀이

일단 저희 반 아이들을 소개하겠습니다. 저희 반은 6학년에, 과밀 학급입니다. 6학년의 특성상 과목별로 아이들의 호불호 편차가 크고(예체능은 좋아하지만 주지 교과, 도덕 등은 좋아하지 않음), 수업 시간에 소극적으로 발표하고 참여하는 친구들이었습니다.

저는 이러한 아이들의 특성을 보고 학기 초반에 저희 반 아이들과 어떻게 하면 더 즐겁게 1년을 보낼지 고민을 하던 중 아이**림 연수원에서 '교실 속 직업놀이' 연수를 발견하고, 수강하게 되었습니다. 연수를 수강하고, 네이버 카페를 들어가서 아이들과 같이 활동하기 위해 직업놀이 자료를 모으고 공부했습니다. 진로 수업 시간에 직업놀이를 처음 소개할 때에는 6학년 아이들이라 그런지 조금은 시큰둥하고, 소극적인 반응을 보여서 "6학년에게 너무 유치한 활동인가?"하고 걱정도 하고 실망도 하였습니다. 그랬던 아이들이 직업놀이 인턴 기간을 보내고, 직업놀이 활동을 시작하더니 너무 적극적이고 재미있게 참여하였습니다.

아이들은 마음의사/세스콤/정리컨설턴트/반의원/수학박사/파티플래너/스포츠기획자/건강지킴이/식물관리사 등 여러 직업을 본인의 희망을 바탕으로 선정하여 직업놀이를 수행했고, 한 명이 여러 직업을 하기도 하였습니다. 하지만 환경지킴이는 희망자가 없어 교실과 복도 등이 점점 더러워지기 시작하여 반 전체가 번갈아 가면서 교실의 청결함을 위하여 노력했습니다.

직업놀이의 결과로 저희 반 아이들은 자존감 및 자신감이 높아지고, 진로교육과 연계하여 다양한 직업을 간접적으로 체험해볼 수 있는 기회를 갖게 되었습니다. 또한 학교, 학급, 친구들에 대한 긍정적 인식을 갖게 되었습니다. 저는 교실 놀이 활동 덕분에 모든 것을 교사가 준비하고, 판단하는 것에서 벗어나 아이들이 적극적으로 수업을 준비하고, 친구들과의 문제가 있는 관계들도 스스로 판단해볼 수 있는 능력을 갖게 되어 심리적·업무적인 부담을 덜 수 있었습니다.

2023년에 처음 아이**림 연수원에서 연수를 듣고 네이버 카페를 들어가서 아이들과 같이 활동하기 위해 직업놀이 자료를 모으고 공부했지만 돌이켜보면 상당히 부족한 부분도 많고 아쉬운 점도 많았습니다. 학년 말이 되면서 인성왕의 의미가 퇴색되어 별 의미없이 그냥 매주하는 투표가 되었고, 그럼에도 불구하고 저는 다른 업무가 바쁘다는 핑계로 관심을 두지 않고 넘어갔습니다. 또 과밀 학급이다 보니 교실에 직업놀이를 위한 환경 구성의 공간이 여유롭지 않아 복도, 게시판 등이 직업놀이를 위한 공간의 전부였습니다. 그렇지만 대부분의 아이들이 즐겁고 적극적으로 직업놀이 활동에 참여해주어서 교사로서 너무 감사합니다.

memo

제10화

너희들의 직업놀이가 우리들의 직업놀이가 되기까지

앙버터샘, 서울, 5년 차

대학원을 포기하며

2022년 여름 방학, 1정 연수에서 수진샘의 직업놀이 수업을 듣고 난 후 다음 해 학급 경영에는 꼭 직업놀이를 적용해봐야지 하고 다짐했습니다. MBTI에서 J 100%인 저는 교실 속 직업놀이 책을 사서 틈틈이 정독하고 카페에 가입한 후에는 어떻게 꾸려나갈지 연구했습니다. 직업놀이의 부푼 기대감을 안고 학년 지망서를 작성할 때, 3학년은 비경합이고, 4학년은 경합이라는 이야기를 들었습니다. 항상 6학년을 선호했던 저는 1지망에 평소처럼 6학년을 적고, 2지망은 3지망인 저학년까지 가지 않기 위해 기피 학년이라는 3학년을 적었습니다. 학년 발표가 나던 날, 3학년이 기피 학년이라 학년 지망에 3학년이 있으면 3학년이 된다는 사실을 알게 되었습니다. 그때까지만 해도 '3학년이 힘들어봤자 얼마나 힘들겠어?'라고 긍정적으로 생각했습니다.

하지만 3월 첫날 서로 때려서 울고불고 난리가 난 7쌍의 아이들을 화해시키고, 수업을 진행할 수 없을 정도로 돌아다니는 아이들 모습에 항복 깃발을 들었습니다. 집에 오자마자 입학한 지 얼마 되지 않는 대학원 자퇴서를 작성하며 곧 교사라는 직업도 포기하는 게 아닐까 걱정이 들었습니다.

직업놀이로 생긴 희망

원래 3월은 교사에게 힘든 달이라고 버텨보려고 했지만 시간이 지날수록 나아지는 것 없이 더 힘들어지기만 했습니다. 한 달이 지나가면 어느 정도 학급이 자리잡히기 마련인데 매일이 3월 첫날 같았습니다. 직업놀이를 하기 위한 초석을 다지려고 아이들에게 설명하면서도 '과연 직업놀이를 할 수 있을까?' 회의감이 들었습니다. 의외로 아이들은 직업놀이에 굉장한 호기심을 보였고 설명해 준 내용을 빠르게 이해했습니다. 아이들의 반응에 힘입어 직업놀이를 할 수 있겠다는 자신감이 생겼습니다. 설명을 마친 3월 말, 칠판 앞에 직업 신청서를 게시했습니다.

저학년이라 직업을 신청할 수 있는 기한을 여유롭게 두었는데, 아이들은 지웠다 썼다 하며 신중하게 자신이 하고 싶은 직업 옆에 이름을 적었습니다. 신청서를 바탕으로 많은 아이들이 신청한 직업들은 요일을 분배해주거나, 팀으로 만들어 줘서 직업놀이 원칙대로 원하는 사람은 다 할 수 있게 구성해 주었습니다. 용돈 기입장에 격려 통장 표지를 붙여주고 뒤에는 이름을 붙인 뒤 나눠주었습니다. 격려 통장은 직업을 하면 하루에 1개를 받을 수 있고, 개별 보상이 아니라 모두가 함께 잘했을 때만 받는 특별한 통장이라고 설명했습니다. 통장을 나눠준 뒤 책상 위에 비치할 아크릴 꽂이에 자신의 직업을 홍보하는 간판을 만들어 보는 시간을 가졌는데 아이들은 자신이 선택한 직업에 굉장히 만족한 듯 보였습니다.

수진샘이 카페에 올리신 '우리 반에 직업놀이 쉽게 정착하기' 글을 보면 기존의 1인 1역으로 시작해서 단계적으로 아이들이 참여하는 직업의 수를 늘려주는 것이 좋은 방법이라는 내용이 있었습니다. 저도 우리 반 아이들의 인성적인 부분이 직업놀이 시작 전에 특히 걱정됐기에 적응기 동안은 1인 1직업놀이 참여로 제한을 두었습니다. 아이들이 1인 1역과 비슷하다고 느낄까 걱정했는데 자신이 원하는 직업을 직접 선택할 수 있고, 원하면 누구나 할 수 있다는 확연히 구분되는 차이점 덕분에 아이들은 직업놀이에 매력을 느꼈습니다.

직업놀이 시작 후 아이들 간의 긍정적인 의사소통이 늘어나서 다툼의 빈도가 줄었습니다. 특히, 아이들의 학습 태도를 향상하는데 시간 지킴이의 역할이 컸습니다. 직업놀이 전에는 수업 종이 울려도 자리에 앉지 않은 아이가 과반수였다면 직업놀이 후에는 시간 지킴이(수업 종 쳤다고 알려주고 교과서 안 편 아이들이 진도에 맞게 필 수 있도록 도와주는 역할) 덕분에 수업 시작 후 자리에 앉지 않은 아이들이 3~4명 이하로 줄어들었습니다. 직업놀이를 하면 할수록 아이들이 나아질 수 있다는 희망을 가질 수 있었습니다.

우리들의 직업 놀이 직업 신청표

(원하는 직업에 이름 쓰기)

직업	하는 일	놀이하고 싶은 사람 (이름 써 주세요)				
		월	화	수	목	금
선생님 비서팀	- 선생님 일정을 관리하기 - 친구들이 필요한 것들을 선생님께 전달하기					
학급 공무원 (2명 필요) 일기장 담당 1명 독서록 담당 1명	- 친구들이 일기장이나 독서록 등 숙제를 잘 냈는지 확인하기 - 화요일에 제출한 친구들 이름에 O표시 하고, 안 낸 친구들 이름에는 X표시 하기 - 수요일에 안 냈던 친구들이 내면 X표시 위에 O표시 해주기 (예: ⊗)	월	화	수	목	금
학급 변리사	- 친구들의 아이디어를 모으고, 평가하기 - 우리 반을 위해 제일 좋은 아이디어를 선택하기	월	화	수	목	금
디자이너팀	- 우리 반 수업 자료 준비 도와주기 - 오리고 붙이고 만드는 활동하기 - 교실 게시판을 꾸미기 - 자기 작품 만들기 끝나면 친구들 도와주기	월	화	수	목	금
학급 외교관	- 다른 반에 심부름하기 - 다른 반 친구와 우리 반 친구가 다툼이 생겼을 때 조사하기	월	화	수	목	금
에너지 지킴이	- 교실 이동할 때 교실 전등, 에어컨을 끄기	월	화	수	목	금
성장 지킴이	- 친구들에게 우유를 나눠주기 - 친구들이 우유 다 먹었는지 확인하기 - 친구들이 다 먹은 우유곽을 예쁘게 정리하기	월	화	수	목	금
시간 지킴이	- 수업 및 쉬는 시간 친구들에게 알려주기 - 종 치기 전에 친구들이 자리에 앉아 교과서를 준비할 수 있도록 알려주기	월	화	수	목	금
탐정	- 친구들의 분실물을 찾아주는 활동 - 누구꺼야?라고 물어보지 않고 자기가 추리해서 찾아주기	월	화	수	목	금
군인	- 교실 물건을 이동할 때나 무거운 물건을 들 때 친구들과 선생님을 도와요 - 선생님께서 체육 물품 옮기는 것을 도와줘요.	월	화	수	목	금
스포츠 선생님	- 체육 수업할 때 앞에 나와서 준비운동을 해요.	월	화	수	목	금
우편 배달원	- 친구들에게 편지나 물건을 배달하는 활동 - 가정통신문 및 학교 신문을 친구들에게 나눠주기	월	화	수	목	금
준비물 관리사	- 준비물실에서 우리 반에 필요한 준비물 가져오기 - 빌려온 준비물을 준비물실 선생님께 갖다 드리기 - 과학 준비물을 연구실에서 가져오기	월	화	수	목	금

직업	하는 일		놀이하고 싶은 사람 (이름 써 주세요)				
라인 검사자	- 친구들이 책상 줄을 잘 맞출 수 있게 안내해줍니다.	1분단	월	화	수	목	금
		2분단	월	화	수	목	금
		3분단	월	화	수	목	금
		4분단	월	화	수	목	금
		5분단	월	화	수	목	금
		6분단	월	화	수	목	금
국세청	- 렌트 회사, 슈퍼마켓 주인, 아이템 관리자에게 우리 반 친구들이 낸 자리월세 돈을 받습니다. - 칠판에 표시합니다.		월	화	수	목	금
몰입 클래스 예약 관리자	- 몰입 클래스 아이템 있는 사람이 아이템을 사용하면 비서팀과 상의해서 날짜를 예약해줍니다. - 몰입 클래스는 화요일 점심시간마다 4팀씩 예약 가능합니다.		월	화	수	목	금
전기수	- 교과서에서 읽을 부분이 나오면 큰 목소리로 친구들에게 읽어줍니다.		월	화	수	목	금
헤어 디자이너	- 쉬는 시간에 머리를 묶고 싶은 친구들 머리를 무료로 예쁘게 묶어줍니다.		월	화	수	목	금
아이돌	- 하루에 한 번 한 곡, 알림장 쓰기 전이나 후에 친구들을 위해 공연을 할 수 있습니다.		월	화	수	목	금
소타	- 일론 멀린을 때, 일론을 닫는 역할 - 친구들이 문 가지고 장난 못 치게 하기		월	화	수	목	금
스즈메	- 창문 열렸을 때, 창문을 닫는 역할 - 친구들이 문 가지고 장난 못 치게 하기		월	화	수	목	금
소음 관리자	- 친구들이 시끄러울 때 조용히 하라고 하거나 쉿 이라고 하는 역할 - 나머지 친구들은 조용히 하라고 말하지 않기		월	화	수	목	금
직업 알리미	- 요일마다 해당하는 직업 앞에 나와서 보고 알려주는 역할		월	화	수	목	금
연필깎이 관리자	- 연필깎이 통이 꽉 차면 비우는 역할 - 연필깎이 통 주변을 치우는 역할 - 연필깎이가 고장나면 고치는 역할		월	화	수	목	금

직업	하는 일		놀이하고 싶은 사람 (이름 써 주세요)				
칠판 관리사	[illegible]		월	화	수	목	금
렌트 회사	[illegible]		월	화	수	목	금
고민 상담사	[illegible]		월	화	수	목	금
은행원(남)	[illegible]		월	화	수	목	금
은행원(여)	[illegible]		월	화	수	목	금
마을 의사(남)	[illegible]		월	화	수	목	금
마을 의사(여)	[illegible]		월	화	수	목	금
아이템 관리자	[illegible]		월	화	수	목	금
슈퍼마켓 주인1	[illegible]		월	화	수	목	금
슈퍼마켓 주인2	[illegible]		월	화	수	목	금
알림장 검사자	[illegible]	1분단	월	화	수	목	금
		2분단	월	화	수	목	금
		3분단	월	화	수	목	금
		4분단	월	화	수	목	금
		5분단	월	화	수	목	금
		6분단	월	화	수	목	금
수학 익힘책 검사자	[illegible]	1분단	월	화	수	목	금
		2분단	월	화	수	목	금
		3분단	월	화	수	목	금
		4분단	월	화	수	목	금
		5분단	월	화	수	목	금
		6분단	월	화	수	목	금

직업을 원하는 사람은
누구나 할 수 있게
요일별로 쪼개서
신청서를 만들어 놓고
직업 바꾸기 일주일 전부터
직업 신청을 받음.

선생님이 힐링 받는 직업놀이

저희 반에는 고민 쪽지를 넣으면 고민 상담사가 해결해주는 소통함이 있습니다. 처음에 고민 상담사가 소통함을 열었을 때 들어있던 것은 주로 장난으로 쓴 쪽지들 뿐이었습니다. (예를 들어 탕수육을 부먹할지 찍먹할지 결정해달라는 내용) 진지한 내용의 고민 쪽지는 없는 것을 보고 고민 상담사는 많이 실망한 눈치였습니다. 다음 날 고민 상담사는 컴퓨터로 예쁘게 상담신청서를 만들어서 여러 장을 인쇄한 뒤 소통함 앞에 비치해 놓았습니다. 아이들은 정성스럽게 제작한 상담신청서를 보고 소통함은 진짜 고민이 있을 때 쪽지를 넣어야겠다고 했습니다. 그러던 어느 날, 한 아이가 고민 상담사에게 답장을 받았다고 가져왔습니다. 편지를 보자 마음 한구석이 따뜻해지며 눈물이 핑 돌았습니다.

▲소통함과 고민 상담사가 준비해 온 상담신청서 양식

고민 상담사가,
5월달 까지 물에 대한 추억을
많이 쌓아 두는 게 좋을 거 같아요.
이 방법이 싫으면 수영 연습을 하거나
처음 에는 얕은 물 2번째는 조금 깊은물 이렇
게
점점 수영에 적응 하는게 괜찮을거 같아요:D

▲고민 상담사가 친구에게 써준 고민 해결 편지

그 여학생은 물이 무서워서 곧 시작할 생존 수영이 걱정이라는 고민 쪽지를 소통함에 넣었다고 했습니다. 친구의 고민을 해결해주기 위해 구체적인 실천 방법을 다양하게 적어준 편지를 보니 교사보다 낫다는 생각이 들었습니다. 나중에 고민 상담사 아이 어머님과 상담할 때 이 편지를 보여드리자, 어머님께서 "아이가 몇 시간 동안 끙끙대며 이 편지를 작성해서 놀랐어요. 자신의 직업에 최선을 다하는 모습이 감동적이었습니다."라고 말씀하셨습니다. 생존 수영이 고민이던 친구는 편지 덕분에 수영 학원을 미리 다녀야겠다는 생각을 가질 수 있었습니다. 그리고 미리 물에 친해져서 친구들과 함께 생존 수영을 재밌게 배울 수 있었습니다.

우리들의 직업놀이

작년 한 해 지속되는 악성 민원으로 인한 우울증으로 길고 힘든 시간을 보냈습니다. 그와 더불어 뉴스에서 교사들의 안타까운 소식을 접할 때면 교사라는 직업에 회의감이 들고 한없이 작아지는 기분이 들었습니다. 하지만 이 직업을 포기하지 않고 계속할 수 있었던 이유는 직업놀이 덕분이었습니다. 직업놀이를 통해 아이들이 변화하는 모습을 보며 교사라는 직업에 보람과 가치를 느끼고 마음을 다잡을 수 있었습니다.

처음 연수를 받을 때 직업놀이는 아이들에게 도움이 된다고 생각했습니다. 그러나 직접 해보면서 아이들뿐만 아니라 교사에게도 도움이 된다는 것을 알게 되었습니다. 우유 다 먹었는지 확인만 하던 성장 지킴이에게 "무거웠을 텐데 친구들을 위해 우유 바구니를 교실 안에 넣어 놓다니 참 친절하다!"라고 칭찬했더니 다음 날 아침 일찍 와서 자리마다 우유를 미리 놔주는 모습을 보며 교사의 중요한 역할 중 하나가 장점을 만들어 주는 것임을 깨달았습니다. 장점을 발견할 줄만 아는 교사에서 장점을 만들어 줄 수 있는 교사로 성장한 것입니다.

직업놀이는 아이에 국한해서 생각하는 '너희들의 직업놀이'가 아닌 교사까지 포함한 '우리들의 직업놀이'가 될 때 진가를 발휘한다고 생각합니다. 아이들이 직업놀이 속에서 자존감을 세운 것처럼 저도 교사로서 자존감을 세울 수 있도록 앞으로도 노력할 것입니다.

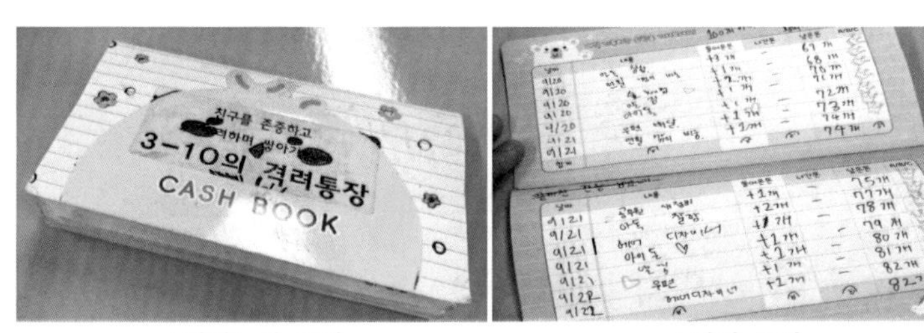

▲직업놀이 통장 ▲격려 통장

▲알림장 쓰기 전 공연하는 직업 아이돌(그룹공연)

제11화

1학년, 시행착오를 환영하기

바다샘, 제주, 6년 차

**완벽하게 하지 않아도 괜찮아요.
1학년도 할 수 있어요!**

우리 학교는 입학생이 11명이었던, 6학급의 아담한 시골 학교입니다. 해마다 아이들과 함께 학급 이름을 정하는데, 올해는 강아지반이 되었어요. 재미있게도, 우리 강아지반 친구들은 11명 중 3명을 빼고는 모두 막내들입니다. 그래서인지, 아이들은 애정을 듬뿍 받고 자랐거나, 또는 그 반대라서 모두 "나만 봐주세요."라는 눈빛으로 선생님을 바라보곤 했습니다. 게다가 이름처럼 항상 에너지가 넘치고 개성이 뚜렷해서 시작부터 여기저기서 다툼도 많았답니다.

이 친구들이 자기의 모습대로 행복했으면, 그리고 마음이 덜 자라서 서로를 아프게 하는 친구들이 좀 더 사이좋게 지냈으면, 하는 마음에 직업놀이를 생각했습니다. 그리고 4월 중순, 아직 덜 준비된 느낌이지만 '놀이인데 뭐, 망해도 괜찮다.'라는 마음을 먹고 시작했습니다. 그리고 1년 동안 다음 2가지는 만트라처럼 자신에게 끊임없이 말해주어야 했습니다.

■ 교사로서 마음 다짐

첫째, 아끼자.

둘째, 시행착오는 당연하다.

저에게 '아끼자.'라는 의미는 여러 가지입니다. 처음 직업놀이를 소개하며 바로 시작하지 않고 뜸을 조금 들인다, 첫날 직업을 다 소개하지 않는다, 어떤 직업들은 아꼈다가 아이들을 관찰하며 적절한 때에 추가한다 등 직업놀이 연수에서 들었던 것을 기억하고 실천하려 했습니다. 그래서 직업 소개는 이틀에 걸쳐서 일부러 감질나게 진행했습니다. 뽑기 가게나 바리스타처럼 인기가 많을 직업은 직업놀이 초반에 상황을 봐가면서 추가했습니다.

또 아낀다는 것은 교사로서 욕심내고 싶을 때, 즉 무언가 더 해주고 싶을 때를 알아차리고 멈춘다는 의미이기도 했습니다. 나의 쇼핑 특기(?)를 살려서 '이런 도구만 더 있으면 좋을 텐데, 얼른 살까?' 내지는 '내가 이런 걸 만들어 주면 애들이 좀 더 재밌고 쉽게 할 수 있을 텐데. 얼른 만들어 줄까?' 같은 생각이 들 때가 많았습니다. 게다가 1학년이니, 자꾸 뭘 더 해주어야 할 것 같고, 실제로도 참지 못하고 너무 많이 해줘 버린 것 같아 아쉬움이 남습니다. 우리 반 예를 들자면, 우체국 직업을 시작할 때 그럴듯해 보이는 우체통을 주문 직전에 멈추고 상자를 던져 주었더니, 아이들이 빨간 색종이를 찾아 즐겁게 몰입해 만든 적이 있는데요, 교사가 해주면 더 예쁘고 모양새 날 수는 있지만, 아이들이 스스로 만들어 가는 기쁨을 교사가 앗아가서는 안 될 것 같습니다. 연수에서 수진샘이 언급했던 지점 같습니다. 자기가 열심히 만든 직업이나 물건들은 더 애착을 두고 열심히 하게 되는 법이니까요.

마지막으로 아낀다는 것은 담임인 저의 체력과 에너지를 아낀다는 의미도 있습니다. 내가 할 수 있는 만큼만 하자는 뜻도 됩니다. 명심했는데도 초반 준비 과정이 너무 재미있어(?) 에너지를 쏟다 보니, 6월쯤에는 무언가 잘 돌아가지 않는 것 같다는 걸 알면서도 개선할 여력이 부족했습니다. 그런데도 어떻게든 끝까지 해볼 수 있었던 것은 '조금 부족해 보이지만 올해는 이 정도까지만 하자.' 라고 다독이며 할 수 있는 만큼만 하려고 했기 때문이라고 생각합니다.

1년간 작은 성공들과 많은 실패(시행착오)가 있었습니다. 작게는 직업이 잘 돌아가지 않았던 상황들부터 아이들이 내 예상과는 다르게 서로 비난하게 된다든가, 결과에만 집착하는 것만 같을 때 등등. 아이들이 제안했다가 사그라들었던 사탕 가게, 발레리나, 고민 상담가, 헤어디자이너, 뷰티샵 등, 제가 제안했던 렌트회사, 변리사, 엔지니어, 기상캐스터, 공정 심판, 우체국 등의 여러 가지 직업들이 나타났다 사라지기도 했습니다. 그리고 때때로, 다음과 같은 말들에 참 기운 빠지기도 했어요.

"오늘부터 저 마음 의사 안 할래요. 친구들이 저 싫대요."
"선생님, 엔지니어에 할 게 없어요."
"선생님, 월급을 모아도 쓸 데가 없어요. 마음에 드는 게 하나도 없어요."

시행착오가 당연하다고 마음가짐을 먹었어도 이처럼 기운 빠지는 말들이 들려올 때, 직업이 오히려 갈등의 씨앗이 되는 것 같을 때, 그리고 교실이 자꾸 더 정신없어지는 것만 같을 때는 자신감도 떨어지고, 후회가 밀려오기도 했습니다.

그런데 지금 와 돌이켜 보니, 완벽하게 결과가 나오지 않았어도 그 과정 자체에서 아이들이 얻은 게 있지 않았을까 합니다. 직업이 생긴 이래로 늘 공석이던 공정 심판은 12월이 되어서야 조금씩 돌아가기도 했고, 렌트회사는 아이들이 스스로 몰입해서 문구점으로 업그레이드하기도 했습니다. 내가 보기에 잘 운영되지 못했던 것 같더라도, 그리고 마음이 아픈 친구들이 내가 기대했던 만큼 자라지 못했다고 하더라도, 직업놀이의 과정 자체를 통해 성장한 부분도 분명 많을 거라고 믿습니다.

가정에 보내는 편지와 인턴 기간은 필수

드디어 아이들에게 처음으로 <교실 속 직업놀이>를 안내하던 날, 가정에는 편지를 보내고, <교실 속 직업놀이> 카페 닉네임도 야심 차게 바꿉니다. 학부모 편지는 수진샘의 직업놀이책에 있는 것을 많이 따라 하고, 조금 상황에 맞게 수정했습니다. 처음에는 편지를 꼭 보내야 하나 싶었는데, 이 편지에 학부모님들이 적어주신 격려 메시지나 아이에 대한 정보들은 직업놀이를 시작하고 지속하는 내내 큰 동력이 되었습니다. '편지까지 보냈는데, 흐지부지 할 수는 없잖아?'라는 마음으로요.

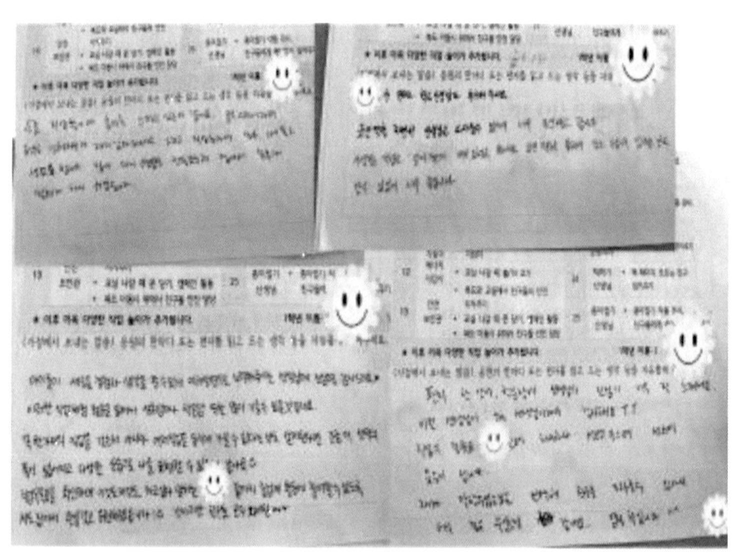

▲가정에 보내는 편지는 공언의 효과가 있었다.

"우리 반에 어떤 직업이 있으면 좋겠어?"

이 질문에, 아이들의 입에서 축구 선수, 농부, 요리사, 선생님, 등 자기가 지금 가지고 있는 꿈들이 막 쏟아져 나왔습니다. 그리고 약 2주간 인턴 기간을 시작했습니다. 기대에 들뜬 아이들의 인턴 기간 모습을 잘 관찰하며 새로운 직업들을 탐색해 보기로 마음을 먹고, 직업 중 일부만 소개했지요. 처음 2~3일은 정말, 정말 정신이 없었습니다. 정신없을 것이라는 선배 선생님들의 경험담을 들어서 각오는 했지만, 고작 11명이었는데도 정말 정신이 없습니다. 어떤 직업에 우르르 몰리거나 금방 바꾸기도 하고, 서로 먼저 한다고 다투기도 했습니다. 아무리 체험 기간이라고 해도 직업을 바꾸는 것은 하루 단위가 좋을 것 같습니다.

직업놀이 초반에 가장 걱정되었던 아이들은 승호와 현주였는데, 다행히 승호는 뽑기 가게 매니저와 박물관을, 현주는 마음 의사를 하며 친구들에게 조금씩 각인되어갔습니다. 현주는 자기가 따뜻하게 누군가를 돌볼 수 있다는 사실을 특히 뿌듯해했습니다. 마음 처방 비타민도 막 퍼주기도 해서 저에게 잔소리(?)를 듣기도 했습니다. 한편, 박물관을 시작할 때는 사진도 출력하고, 카드 설명도 만들고, 상어 이름 몰입 클래스 같은 것을 생각했었는데, 1학년 아이들에게는 아직 무리였다고 생각됩니다. 올해는 전시하고, 동물 모형들을 관리하는 것으로 제가 감당할 수 있을 만큼, 가볍게 운영했습니다.

다행히 한 달 정도 후에는 어느 정도 직업도 자리를 잡아가고, 그 속에서 살아가는 아이들의 모습이 더 잘 보입니다. 기대와 달리 잘 안 돌아가는 직업도 많이 보였는데, 이때쯤 아이들이 와서 새로운 직업도 제안하기 시작했던 것 같습니다.

▲인턴 기간 직업을 체험하는 아이들1 ▲인턴 기간 직업을 체험하는 아이들2

월급과 소비 제도

우리 반은 개인 보상 형태로 학생 월급을 운영했습니다. 그날 타임아웃이나 머쓱 카드를 하나도 받지 않으면 1개, 숙제 1개, 특급 칭찬, 우유 1개 등으로 직업을 하지 않아도 기본 월급을 받을 수 있게 했습니다. 제가 정착했던 방법은 아이들이 하교 후에 바로 찍어주는 것입니다. 종종 잊어버릴 때는 아침에 부랴부랴 찍어주기도 했는데, 지금 와 고백하자면, 정확하게 계산할 때보다, 대~강 찍어 줄 때가 훨씬 많았습니다. 아이들은 직업을 안 했더라도, 하루 적게는 2개에서 많게는 5개까지 받을 수 있었습니다.

직업 월급은 은행원님에게 말하고 도장을 받게 했습니다. '오늘 무엇무엇 했어요.'라고 말하고, 은행원님은 '수고하셨습니다.'라는 말을 꼭 하게 했는데 처음에만 잘 지켜지고 잘 안될 때도 많았어요. 그리고 처음에는 입금 시간과 출금 시간을 구별했는데, 하다 보니 자꾸 섞여 나중에는 은행원과 아이들이 적당히(?) 타협하며 운영하게 되었습니다. 또, 가끔 며칠 밀렸다며 한꺼번에 직업 도장을 지나치게 많이 찍어주는 경우가 있기도 해서 가끔 교사의 개입이 필요하긴 했습니다.

받은 월급을 소비하는 곳은 아이템 구매, 뽑기 가게, 강아지 식당, 문구점, 학급 온도계 기부하기 등이 있었습니다. 나중에는 '줄서기 기차 번호 내 맘대로', '왕의 잔치(반 전체 간식 나눠주기)', '마법사의 타임머신(친구와 교실 뒤에서 10분 쉬기)' 아이템도 아이들이 제안해 추가하기도 했습니다. 1학년 아이들에게 가장 소진이 빠르던 아이템은 뽑기 가게와 도안 출력권이었습니다. 도안 출력권은 중간 놀이 시간에 원하는 색칠 도안이나 오리기 도안 출력을 하게 해주었는데, 이 아이템이 유행하는 기간에는 교사가 바빴답니다.

직업놀이의 꽃, 인성왕

결론부터 말하면, 왜 수진샘께서 인성왕 제도를 '직업놀이의 꽃' 이라고 하셨는지 이제는 정말 이해하게 되었습니다. 매주 금요일 인성왕 시상식 시간을 어찌나 기다리던지, 마지막 종업식 전날까지 내일도 꼭 인성왕을 뽑아야 한다며 조르기도 했답니다.

교사로서는 매주 새로운 인성왕 임명 준비를 하는 것이 조금 귀찮기도 했습니다. 특히, 인성왕을 줄 만한 친구를 찾기가 어려울 때 그랬습니다. 다른 선생님들도 그러셨듯, 저도 먼저 격려가 필요한 친구를 한 명 찜해두고 근거를 나중에 관찰로 찾는 방법을 자주 사용했습니다. 이렇게 찜한(?) 친구 1명과 진짜 잘한 친구 1명을 시상하곤 했는데, 어떤 방법이건 반드시 근거를 어딘가에 낱말이라도 '기록'하기를 권합니다. 그렇지 않으면 목요일에 정말 생각해내는데 힘들어요.

그리고 수진샘이 강조하셨듯 인성왕을 뽑을 때 가장 핵심은, '아이들 입에서 이름이 불리게 하는 것'이라고 생각합니다. 구체적인 상황과 힌트를 하나씩 공개하며 아이들이 추측하게 했는데, 인성왕에 뽑히는 아이가 설마 설마, 하다가 표정이 환해지는 모습, 정답을 맞힌 아이들 모두 진심으로 축하를 전하는 모습을 보며 저도 기분이 함께 좋아지곤 했답니다.

한편, 하나의 직업을 두 달 정도 성실하게 하면 팀장수여식을 했습니다. 12월 셋째 주에는 모든 학생이 각각의 직업에 팀장이 되었습니다. 팀장이 되면 직업 게시판에 명찰표의 크기와 색깔이 바뀌게 됩니다. 처음에는 팀장용 삼각 명찰 표를 따로 만들어서 함께 수여하고 책상 위에 두게 했는데, 책상 위에서 자꾸 떨어지는 바람에 나중에는 수여만 하고 전시대에 전시했더니 조금 아쉬웠습니다. 다음에 한다면, 명예의 전당처럼 눈에 띄도록 게시판을 만드는 방법도 생각해 보아야겠습니다. 그런데 우리 반은 특이하게도, 팀장이 되고 나니 본업에 조금 게을러지는 경향이 있었기에, 앞으로 팀장 제도를 어떻게 운용해야 할지 고민이 좀 남습니다.

아쉬운 점은 왕관과 파티입니다. 디자이너가 왕관 만들기를 너무 힘들어하고 아르바이트생으로 채워지기에 좀 더 쉬운 색칠 형태의 왕관으로 대체했다가, 또 안되어서 팔찌로 대체했다가, 마지막에는 매달 초콜릿으로 대체했습니다. 세상에 하나밖에 없는 왕관을 지속하지 못했던 것은 아쉬움으로 남습니다. 그리고, 파티나 춤과 노래에 소극적인 담임 때문에, 인성왕 수여식에서 파티까지 꾸준히 하지 못했던 것은 조금 아쉽습니다.

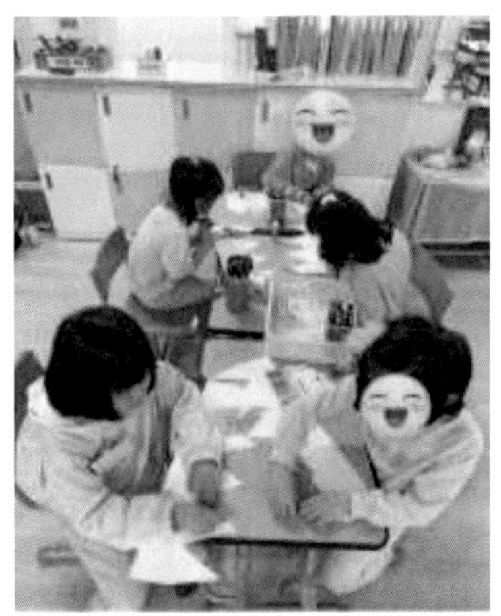
▲아르바이트 제도가 있어 다행이었다

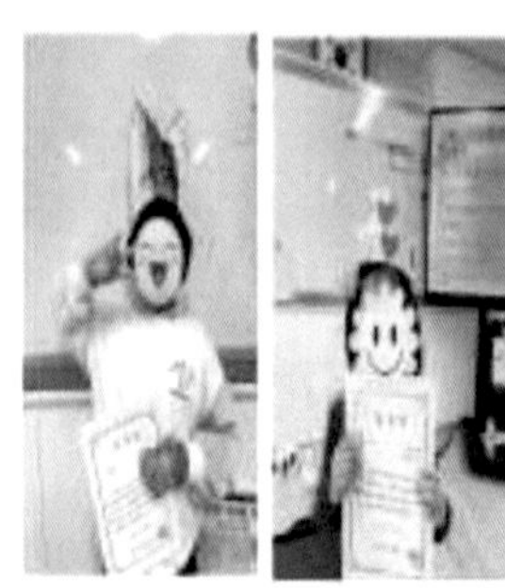  

▲왕관의 변천사

작은 장치들도 중요하다.

직업놀이를 하며 '작은 장치'들의 중요성을 느끼는 경우가 종종 있었습니다. 어느 날은 아이들이 서로 너무 비난하는 분위기가 형성되어 친절왕 뽑기 힘들었다고 말하면서, 물었습니다.

"우리 반에서 너희들은 누가 친절한 것 같아?"

그랬더니, 지난주 친절왕이었던 마음 의사 현주를 꼽습니다. "우리 반 친절왕 하면 누구지?"하면, 아이들이 한목소리로 "당연히 송현주지!" 라고 외칩니다.

아이들에게 늘 무시 받고 피해의식으로 점철되어 끊임없이 친구들과 다툼을 일으키는 현주인데, 그 순간 아이의 감동한 표정이 오래 기억에 남습니다.

한편, 우리 반에는 3월부터 학교에 적응하기 어려워하던 디자이너 소망이가 가끔 분노조절 장애로 폭주할 때가 있었습니다. 어느 날, 경고 누적에도 수업 방해 행동을 계속하다가, 자기 책상 위에 <디자이너 팀장> 명패를 보더니, 소리 지르며 집어 던지려고 한 적이 있습니다.

"이것도 싫어! 나 디자이너 이거 보면 착해져야 하잖아!"
"난 지금 악마가 더 좋아. 이거 치울 거야!"

집어던지려는 찰나, 저는 보았어요, 순간의 망설임을. 화난 대로 행동하고 싶은 마음과 팀장이라는 자부심으로서 착한 마음 사이에서 갈등하고 있는 아이의 마음을 보았습니다.

인성왕 & 팀장 명패

제가 보기에 작은 장치라도, 아이에게 주는 영향이 있다는 것을 다시 한번 깨닫습니다. 이렇게 별것 아닌 것 같은 작은 무언가들이 모여, 우리 반의 분위기를 만들고, 아이들 행동의 방향성을 만들어 내겠지, 저라는 사람은 그렇게 세심하지 않은데, 내가 놓치는 것들도 많겠다는 반성을 하고 마음을 다잡기도 했습니다.

1학년 직업놀이를 다시 한다면

처음 시작은 상상과 이상을 펼치며 신나게 준비하고 도입하고 에너지를 많이 쏟다 보니, 중간중간 힘에 부칠 때도 많았습니다. 작은 성공들과 많은 시행착오가 있었던 1년이었지만, 그래도 1학년에서 다시 직업놀이를 한다면, 저의 다짐을 몇 가지 정리해 봅니다.

첫째, 학급 인원수와 아이들 성향에 따라 직업의 종류와 수를 조절합니다. 당연한 이야기겠지만, 이는 먼저 제시해보고 운영하면서 체험하고 나서야 알 수 있었습니다. 다른 교실에서 성공적이었던 직업이더라도 우리 반에서는 예상과 다르게 흘러갈 수 있다는 예상을 두고 시작해야겠습니다. 그리고 인원이 적다 보니 교사의 눈에 '제대로' 못하는 것이 잘 보일 확률이 높습니다. 기대치를 내려놓고 아이들의 모습을 '흐린 눈'으로 보는 것도 필요한 것 같습니다.

둘째, 1학년은 한글을 어느 정도 충분히 익히고, 하루 루틴 등의 기본 생활 습관이 자리 잡히고 나서 하는 편이 좋을 것 같습니다. 4월은 조금 빠르지 않았나 싶습니다. 다시 1학년 친구들과 직업놀이를 한다면 5월 중순 정도에 시작하려고 합니다.

셋째, 협업이 가능할 기회를 잘 포착해서 2단계, 3단계 직업놀이를 도전해보고 싶습니다. 몇몇 친구가 학급 안에서 제대로 서지 못한 것 같아 기다리다 보니 1단계 직업놀이만 하고 1학년을 마치게 되었습니다. 그런데 지금 돌이켜 생각해 보니, 조금 부족하더라도 아이들이 모여 협력하면서 진행할 수 있었을 몰입 클래스나 학급 파티들도 있었는데, 흘려보낸 것 같아 조금 아쉽습니다. 올해 시행착오를 겪었으니, 전체와 부분을 잘 살펴서 한 발짝 더 나아가 보고 싶습니다.

넷째, 당연한 말이지만 아이가 진짜 잘하는 것을 찾아 키워주려는 노력도 필요합니다. 우리 반 현주는 마음 의사로 아이들에게 '친절한 현주'로 각인되었습니다. 하지만, 모든 면에서 또래보다 발달이 느린 현주는, 친구들이 싫어하는 티를 덜 내더라도, 자기를 좋아하지 않는다는 것쯤은 피부로 느낍니다. 제 역량이 부족해서도 있지만, 친절함 한 가지로 아이를 세워주기가 어려웠습니다. 나중에야 현주의 노래하는 목소리가 정말 예쁘다는 것, 노래 부르기를 좋아하는 것을 발견하고 우리 반 가수로 키워(?)보려고 했습니다만, 가사를 읽을 수 없는 현주와 정신없이 2학기를 보내고 나니 금방 학기 말이 되었습니다. 더 일찍 발견했더라면, 내가 좀 더 신경 써 주었더라면…. 올해 저에게 가장 큰 숙제를 남긴 현주를 생각하면 아쉽고 미안한 마음이 큽니다.

마지막으로, '시행착오가 당연하다'를 넘어서, '시행착오를 환영하자'라는 마음가짐으로 임해보려고 합니다. 도전해보는 과정 자체에서 배우는 것이 분명히 있고, 만나는 시행착오를 통해서 나와 아이들의 어떤 부분은 더 성장하게 될 것이기 때문입니다. 제대로 마무리를 못 한 것 같아 죄책감이 크던 1년을 돌아보며 글로 정리하다 보니, 분명 아이들도 나도 성장한 부분들이 있었음을 확신하게 됩니다. 시행착오를 환영하자, 한 번 더 다짐해 봅니다.

제12화

직업놀이로 함께 빛나는 ‘윤슬’ 반이 되다.

세상빛샘, 경기, 2년 차

자존감을 키워줄 수 있는 학급경영 방식을 찾아보다!

9월 1일, 교대를 갓 졸업한 저는 5학년 어느 반의 담임이 되었습니다. 정신없이 하루를 보내고 있던 첫날, 갑자기 힘찬이가 책상을 발로 차더니 욕설을 내뱉으며 교과서를 찢기 시작했습니다. 힘찬이를 말리고 진정시켜 봐도 그런 행동은 1시간씩 지속되었습니다. 이렇게 담임교사로의 저의 첫 데뷔는 호락호락하지 않았습니다. 매일 2~3시간씩 지속되던 힘찬이의 행동으로 교사인 저도, 우리 반 친구들도 참 많이 힘들었습니다. ‘대체 이 아이가 왜 그럴까?’ 고민으로 하루하루를 보내던 어느 날, 분노하던 힘찬이가 엉엉 울며 말했습니다.

"선생님 저 죽을래요. 저는 쓸모없는 인간이에요. 왜 저는 잘하는 게 아무것도 없을까요? 저 죽을래요."

죽고 싶다고 말하는 힘찬이는 사실 간절한 눈빛으로 저는 살고 싶다고, 자신이 쓸모 있는 사람이라고 말해달라고 애원하고 있었습니다. 그때 깨달았습니다. 이 아이의 분노의 원천은 바로 낮은 자존감이라는 것을요. 그 이후부터 저의 교육관에 있어서 가장 화두가 된 것은 바로 '자존감'이었습니다. 자신을 사랑하지 않는다면 타인도 사랑할 수 없을 테니까요.

고민에 대한 답, 교실 속 직업놀이를 만나다!

우여곡절이 많았던 첫 아이들을 보내고, 2년 차가 되어 학생들의 자존감을 높여줄 수 있는 학급경영 방식을 수소문하며 다녔습니다. 그때 동료 선생님이 '교실 속 직업놀이' 자료를 보내주시며 한번 책을 읽어보라고 권해주셨고, 그때부터 저희 반의 교실 속 직업놀이를 꿈꾸게 되었습니다.

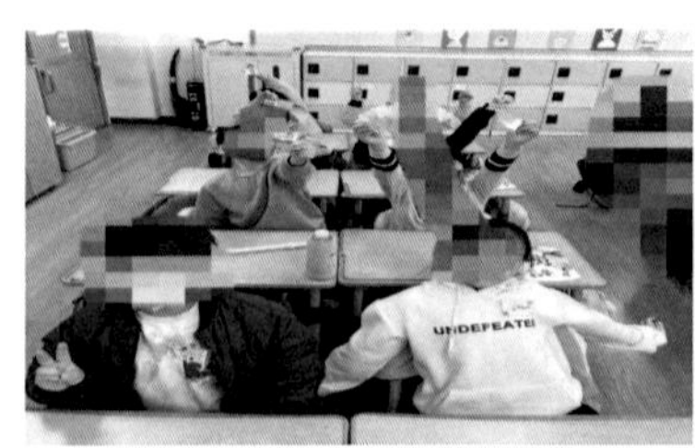

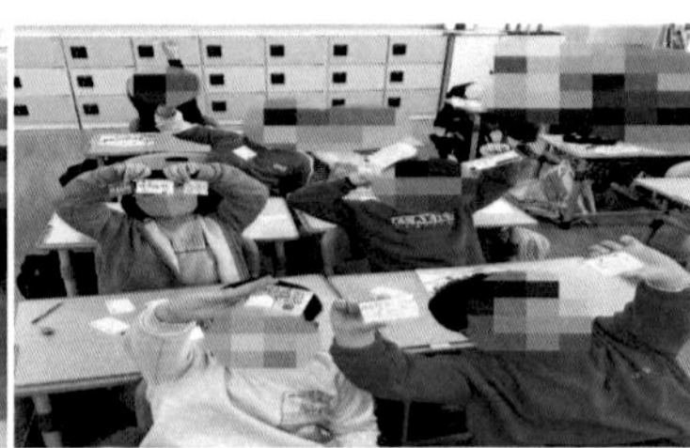

▲이름표를 만들고 신이 난 모습 1

▲이름표를 만들고 신이 난 모습 2

제가 근무하는 학교의 학생들은 대체로 에너지가 많습니다. 또 학교 내에서 버스킹을 하는 등 굉장히 끼가 많고 그 끼를 펼치고 싶어 했습니다. 올해 저희 반 아이들도 마찬가지였습니다. 굉장히 밝고, 에너지가 많았습니다. 무엇이든 잘 해내고 싶어 하는 의욕적인 아이들이었으나 작은 행동 하나하나마다 선생님에게 모두 질문할 정도로 자신감이 부족했습니다. 3월 한 달 동안 학생들을 관찰하며, 자율성과 자신감을 모두 키울 수 있는 직업놀이를 해보아야겠다고 다짐했습니다.

교실 속 직업놀이를 통해 우리 반의 빛깔을 찾다!

인턴 제도를 시작하기 전, 학생들에게 직업 설명회를 개최하였습니다. 이때, 아이들의 반짝이는 눈빛을 잊지 못합니다. 한 아이는 부모님께 직업놀이를 시작하는 첫날이라 교외체험학습을 안 가면 안 되냐고 조를 정도로 저희 반 학생들은 처음으로 어떤 직업을 갖고 직접 무엇을 해본다는 것에 큰 기대를 품고 있었습니다.

▲ 디자이너로 활동하고 있는 모습

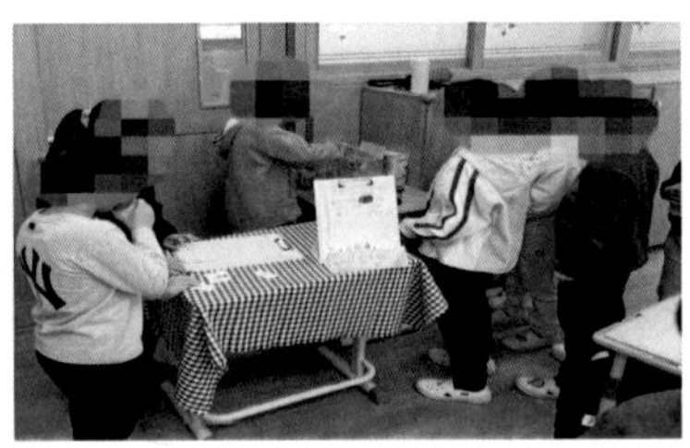

▲윤슬 카페 첫 운영 날!

하지만 저는 직업놀이를 시작하기로 한 날이 하루하루 다가올수록 이런저런 걱정에 속이 바짝 타들어 갔습니다.

드디어 시작된 직업놀이 첫날! 우왕좌왕하는 아이들을 하나하나 지도하느라 일주일은 정말 정신이 없었습니다. 그런데, 2주 차가 되자 척척 직업놀이가 운영되기 시작했습니다. 카페에 사람이 많다고 아침에 일찍 오는 순서대로 번호표를 만들어 배부하고, 쉬는 시간이 끝나기 전 먼지 한 톨도 없이 멋지게 뒷정리했습니다. '10살이 과연 할 수 있을까?'라고 고민했었던 제가 부끄러웠습니다. 10살은 제가 짐작한 것보다도 스스로 할 수 있는 멋진 작은 어른이었습니다. 자신이 맡은 일을 누구보다도 끝까지 열심히 해내는 멋진 아이들이었습니다.

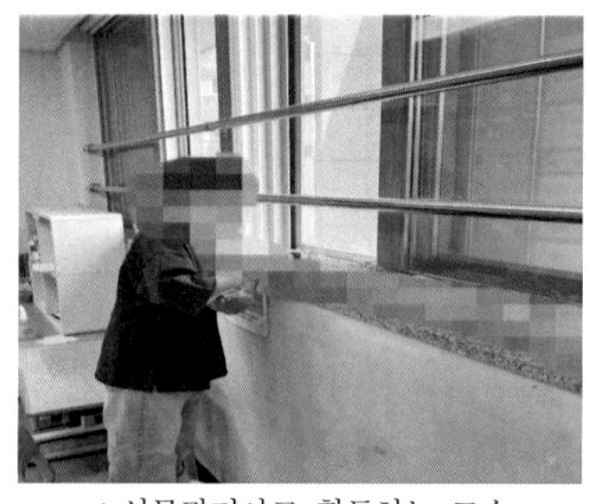
▲식물관리사로 활동하는 모습

직업놀이를 하며 선생님의 반이 아닌 진정한 '우리' 반이 될 수 있었습니다. 선생님에게 의존하기보다는 친구들과 의논해서 하나씩 척척 해나갔습니다. 문제가 발생해서 건의 사항이 생기면 학급 변리사들끼리 회의해서 문제의 원인을 찾고, 해결 방법을 고안해 냈습니다. 계절 파티 날짜를 정할 때도 아이들이 직접 설문하고, 의견을 받아서 왜 화요일이 좋은지 제게 설명하더군요. 그리고 손재주가 좋았던 아이들은 직접 미용실을 운영하기도 했습니다. 또 우유를 매일 가져와야 하는 학급 군인이 싫을 만한데도 친구들을 이렇게라도 도와주는 게 좋다며 학급 군인을 1년 동안 자발적으로 신청해서 한 학생도 있었습니다. 제가 시키지도 않았는데 우유 개수를 세서 "선생님, 지금 저희 반에 우유가 부족해요! 다른 반에서 우유를 구해올까요?"라고 말할 정도로 우리 반의 우유 급식을 책임져주었습니다. 제가 아이들에게 믿고 맡긴 만큼 아이들은 그 믿음을 바탕으로 성장함을 경험할 수 있었습니다.

우리 반의 빛깔을 더욱 또렷하게 만들어 준 것은 바로 인성왕 제도였습니다. 사실 처음에는 인성왕이 되기 위하여 의도적으로 눈에 띄게 행동하는 친구들이 있었습니다. 그럴수록 저는 눈에 띄지 않는 작은 행동으로 우리 반 인성왕을 선정하였습니다. 그럼에도 의도적으로 행동하는 아이들을 보며 '이게 맞나?' 싶은 고민에 빠졌습니다. 다른 사람들을 배려하는 것을 특히 어려워하는 아이들에게 비록 의도가 있더라도 다른 사람을 배려하고 존중해보고 그것을 인정받는 경험은 꼭 필요하다는 생각이 들어 인성왕 제도를 지속했습니다. 다행히도 점점 다른 친구를 배려하고 존중하는 행동들이 갈수록 습관이 되어갔습니다. 자신의 이익을 잘 챙길수록 인정받는 세상 속에서 인성왕 제도를 통해 학생들에게 배려와 존중의 태도를 인정해주며 세상 속의 또 다른 가치를 가르쳐줄 수 있었습니다.

▲ 인성왕이 되고 기뻐하는 아이의 모습

우리 반 직업놀이 끝까지 완벽할 줄 알았지?

끝까지 완벽할 줄 알았던 직업놀이에도 균열이 생기기 시작했습니다. 점차 직업을 신청해 놓고 자신의 역할을 하지 않는 친구들이 생기기 시작했습니다. 또 굳이 꼭 해야 하냐며 안 하는 친구들도 생겨났습니다. 어떻게 해야 하나 많이 고민했습니다. 고민하다가 아이들과 '함께 좋아해' 직업놀이 회의를 열었습니다. 직업놀이의 좋은 점, 아쉬운 점, 해결 방안을 이야기해 보며 아이들이 직접 답을 찾아 나갔습니다.

제가 이야기하지 않아도 아이들은 우리 반 직업놀이의 문제점을 알고 있었습니다. 어느 순간부터 직업 잘 참여하지 않았던 이유는 자신의 차례가 온 지 몰랐던 경우가 많았습니다.

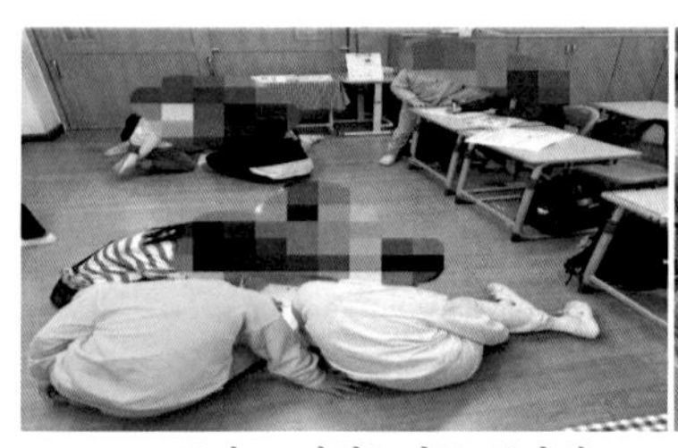
▲모둠별로 직업놀이를 좋아해 회의하는 모습

▲모둠별 토의 결과를 바탕으로 전체 토의를 하는 모습

매번 그렇게 깜빡깜빡하다 보니 어느 순간 흥미를 잃었다고 했습니다. 또 직업 참여 개수에 제한이 없다 보니 너무 많은 일을 해서라고도 했습니다. 이러한 문제점을 해결하기 위해 학생들은 다양한 의견을 내었고, 투표를 통해 규칙을 만들었습니다. 직업놀이 신청 표에 월화수목금 칸을 만들고, 일주일에 할 수 있는 직업놀이를 세 개로 한정했습니다. 아이들의 힘으로 우리 반 직업놀이는 다시 제 자리를 찾을 수 있었습니다.

직업놀이에 흥미를 잃어가는 모습을 처음으로 보았을 때, 저는 이 문제는 교사인 제가 해결해야 할 문제라고 생각했습니다. 그런데, 아이들이 토의 토론을 통해 문제를 해결해 나가는 모습을 보며, 아이들의 힘은 위대함을 다시금 깨달았습니다. 어른의 시선이 아닌 아이의 시선으로 볼 때 어려운 문제를 오히려 쉽게 풀 수 있었습니다.

안전, 존중, 책임을 잘 지키는 따뜻한 우리 반

혼자서는 직업놀이를 할 수 없습니다. 서로가 있기에 나의 직업이 존재하고, 또 서로 도움을 주고받습니다. 이런 과정에서 저희 반은 자연스럽게 서로 존중하고 배려하는 교실이 될 수 있었습니다. 그리고 저희 반은 긍정적이고 따뜻한 반이었습니다. 직업놀이를 하며 반드시 고마움을 표현하는 규칙을 정착시켜서 아이들 간의 고마움과 감사함의 표현이 자연스럽게 많아졌습니다. 어느 날은 어떤 친구가 자기가 틀릴까 봐 발표하기 두렵다고 말했습니다. 그런데, 그때 한 아이가 말했습니다.

"아니야! 괜찮아. 네가 틀리면 우리는 네 덕분에 또 배울 수 있는걸?"

그 말을 듣고 마음이 찡해졌습니다. 10살 우리 반 아이들이 어른들보다도 더 낫다고 생각된 순간이었습니다. 마지막으로 저희 반은 모두가 잘하는 것이 많은 디재다능한 반이었습니다. 아이들 각각의 다재다능함을 발견할 수 있는 계기를 마련해준 것도 모두 직업놀이 덕분이었습니다. 직업놀이를 통해 아이들은 자신의 장점을 알 수 있었고, 또 다른 친구들의 장점도 알 수 있었습니다. 자신을 사랑할 줄 알고, 타인을 사랑할 줄 아는 우리 반이 너무나도 빛나 보였던 한 해였습니다.

솔직히 이야기하자면, 직업놀이는 절대 쉽지 않습니다. 담임교사의 꾸준한 관심과 관찰이 필요합니다. 만약 이미 직업놀이를 시작해버리셨다면…? 축하드립니다. 선생님! 선생님께서는 직업놀이 덕분에 1년 동안 학생들에게 애정이 어린 관심과 관찰을 지속하게 되셔서 어느 해보다도 빛나는 순간들을 교실 속에서 경험하실 수 있을 거라 자신합니다.

한 어린이를 1년 동안 섬세하게 관찰하며 그들의 성장을 지켜보는 일은 너무나도 행복했습니다. 2023년을 회고하며 '코이'라는 물고기가 떠올랐습니다. 코이라는 물고기는 어항의 크기가 따라 다르게 자랍니다. 작은 어항 속에서는 작은 물고기로 자라지만 바다에서는 1m가 넘는 큰 물고기로 성장합니다. 올해 직업놀이를 통해 아이들에게 널따란 바다 같은 환경을 만들어 줄 수 있었습니다. 아이들은 우리가 생각하는 것보다도 더 많은 것을 할 수 있는 코이 같은 존재임을 마음속에 새기며 2024년도에도 즐겁게 직업놀이를 시작해 보려 합니다.

제13화

우리 반 모두가 행복한 직업놀이

토심이샘, 서울, 5년 차

첫 담임을 시작하며 접한 교실 속 직업놀이

발령 이후 첫 담임을 맡게 되면서 어떻게 반을 운영해야 할지 고민이 많았습니다. 고민하던 중 '직업놀이'라는 것을 접하게 되었고 겨울 방학을 이용해 급하게 직업놀이를 공부하며 새 학기를 준비했습니다. 그런데 코로나 때문에 아이들이 등교를 주 1회~2회 정도만 하게 되었고 저도 처음 적용해보는 것이다 보니 생각처럼 직업놀이가 원활하게 이루어지지 않았습니다. 속상한 마음이 들었지만, 내년에는 제가 부족했던 점들을 채워 더 잘 이끌어 나가보리라 다짐하며 겨울 방학에 수진샘이 해주시는 직업놀이 연수를 듣고 2021학년도 두 번째 담임을 맞이하였습니다.

2021학년도에 학생들이 등교하는 날이 많아지면서 직업놀이로 인해 교실은 점점 활기를 띠게 되었습니다. 교사인 저도 변화하는 것이 느껴졌습니다. 직업놀이를 위한 양식을 만들고 새로운 우리 반에 맞게 직업놀이를 조금씩 바꾸면서 날마다 재미있게 느껴졌습니다. 저의 마음이 아이들에게도 전해진 것인지, 한 아이가 "어서 내일이 되어서 학교에 오고 싶어요!"라고 했을 때의 기쁨은 이루 말할 수 없었습니다.

선생님, 우리 내일은 뭐 해요?

제가 꿈꾸는 교실은 내일이 기다려지는 교실입니다. 내일은 무엇을 할지 기다려지는 교실. 이런 설렘과 기대가 가득한 교실을 만들고 싶습니다. 이런 교실을 만들기 위해서는 어떻게 해야 할까 고민도 많이 했습니다. 이런 고민의 과정에서 찾은 것 중 하나가 바로 직업놀이였습니다. 학생들이 자신의 적성과 특기에 따라 교실에서 여러 가지 활동을 해볼 수 있는 이 직업놀이는 제가 원하는 교실에 딱 맞는 활동이었습니다. 학생들이 원하는 강좌를 개설하기도 해보고, 직업별로 매달 원하는 활동을 미리 계획하여 진행하면서 학생들은 자신들이 원하는, 그리고 내일이 기다려지는 교실을 만들어 갈 수 있었던 것 같습니다.

▲직업놀이 게시판 모습

얘들아, 우리 내일은 뭐 할까?

하지만 직업놀이는 학생들만 내일을 기다려지게 하는 것이 아니었습니다. 교사인 저도 내일이 기대되기 시작했습니다. 저의 기대 이상으로 학생들이 즐겁게 참여하는 모습을 보면서 뿌듯함을 느낄 수 있었고, 때로는 감동을 받을 때도 있었습니다. 직업놀이를 준비하면서 늦은 시간까지 교실에 남아있어야 할 때도 있었지만, 그 준비하는 과정 또한 정말 재미있었습니다. 우리 반을 위한 직업놀이 양식을 만들고 이것으로 어떤 활동을 할까 생각하는 것이 저에게도 큰 활력이 되었습니다. 2024학년도를 준비하는 지금, 새로운 아이들을 만나서 또 새로운 활동을 할 수 있다는 것이 정말 기대됩니다.

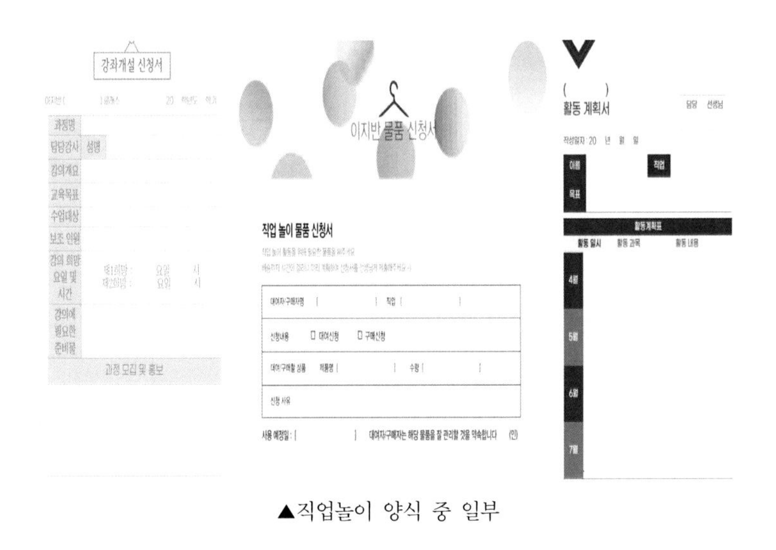

강좌개설 신청서

과정명	
담당강사	성명
강의개요	
교육목표	
수업대상	
보조 인원	
강의 희망 요일 및 시간	제1희망 : 요일 시 제2희망 : 요일 시
강의에 필요한 준비물	
과정 모집 및 홍보	

이지반 물품 신청서

직업 놀이 물품 신청서

대여자/구매자명 [ ]	직업 [ ]
신청내용	☐ 대여신청 ☐ 구매신청
대여/구매할 상품 제품명 [ ]	수량 [ ]
신청 사유	

사용 예정일 : [ ] 대여자/구매자는 해당 물품을 잘 관리할 것을 약속합니다 (인)

( )
활동 계획서

담당 선생님

작성일자 : 20 년 월 일

이름		직업	
목표			

활동계획표

	활동 일시	활동 과목	활동 내용
4월			
5월			
6월			
7월			

▲직업놀이 양식 중 일부

교사도 행복한 직업놀이

직업놀이를 해보면서 오히려 교사도 더 편안해지는 것 같다고 생각하게 되었습니다. 물론 처음 준비 작업에 조금 품이 드는 것은 사실입니다. 하지만 직업놀이가 정착되면 학생들이 책임감을 느끼고 알아서 척척 자기 일을 해내고 이로써 교실이 조금 더 체계적으로 잘 운영될 수 있습니다. 꼬마 선생님들은 배움이 늦을 친구들을 주도적으로 나서서 도와주고, 게시판 관리자 친구들은 교실을 예쁘게 꾸며주며, 환경미화원 친구들이 교실을 깨끗하게 유지하도록 도와줍니다. 선생님의 비서 빅스비는 깜빡깜빡하는 선생님께 오늘 검사해야 할 것, 오늘까지 내야 하는 가정통신문을 알려줍니다.

이렇게 모든 아이가 자신의 역할을 성실히 수행하면서 뿌듯함과 우리 반에 대한 소속감을 느끼기 때문에 학급 전체적인 분위기에 긍정적인 영향을 줄 수 있었습니다. 긍정적인 학급 분위기 속에서 학생들 간의 갈등은 줄어들게 되었습니다. 저는 개인적으로 교사의 일과 중 학생들의 갈등을 중재하는 과정이 가장 정신적 에너지를 소모하는 일이라고 느껴집니다. 그래서 이렇게 학생들 간의 갈등이 줄어드는 것이 너무나 반가웠습니다.

또 학생들과 교사가 만들어내는 새로운 아이디어로 인해 매일이 즐겁게 느껴지니 오히려 저의 마음도 편안해졌습니다. 월요일부터 금요일까지 8시간을 학교에 있는데 학교에 있는 시간이 즐겁고 행복하지 않다면 절대 행복해질 수 없을 것입니다.

출근하는 것이 괴로운 일이 아니라 오늘은 무엇을 할까 기대되는 일이 된다면 교사 스스로도 더 행복해질 수 있을 것 같습니다.

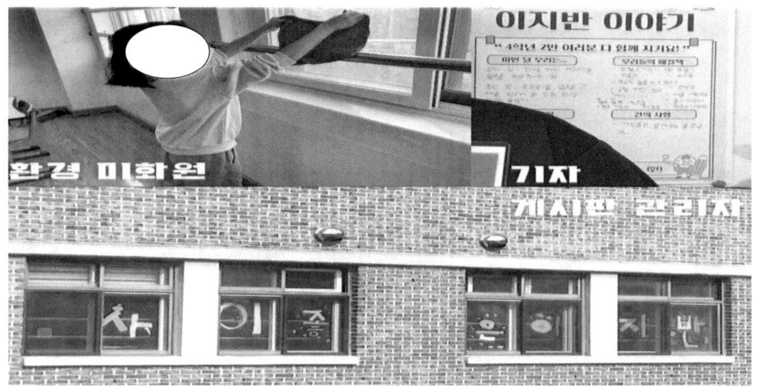

▲이지반의 직업놀이 교실 풍경

제14화

즐겁게 떠나보내기

인절미샘, 경기, 5년 차

'교실 속 직업놀이'로 가까워진 우리들

3월 첫날, 이렇게 정이 쌓일 줄 몰랐던 올해의 6학년 친구들을 만났습니다. 이 친구들은 수업 시간에는 앞에서 떠들어도 반응도 없고, 발표도 하지 않는데 쉬는 시간이 되자 친구들이랑 떠들고 노느라 어찌나 시끄러운지. 이미 무리가 짜여있어 무리에 속하지 않는 친구들과 선생님, 학급에 일은 전혀 관심이 없어 직업놀이가 재밌어할지 의문이었습니다. 직업놀이 3년째지만 선생님 좋아하고, 다 본인들이 하고 싶다는 3, 4학년들을 데리고 해서 이런 무관심은 직업놀이의 시작을 두렵게 했습니다. 그렇지만 그동안의 경험으로 미루어 보았을 때 6학년에게도 직업놀이가 재밌을 것이라고 자신감이 생겼고, 또 재밌게 보여야 한다는 의무감도 생겼습니다. 그렇게 한 달 동안 직업놀이를 위해 준비하였습니다.

약속의 4월이 되었습니다. 3월 마지막 주쯤에 반 친구가 와서 "선생님! 저번에 말씀하셨던 직업놀이 언제 시작해요?"라며 관심을 가집니다. 우유 급식을 시작하면서 초콜릿 가루 가지고 와서 먹어도 되는 물음에 "가지고 오면 안 되는데…. 근데 우리 직업놀이를 시작하면 바리스타 직업이 있어서 초콜릿 가루를 타 먹을 수도 있어!"라는 답변을 기억한 것이지요. 이렇게 관심 가져준 친구 덕분에 시작을 더는 미루지 못하고, 두려움 속에서 직업놀이를 소개해줍니다. 아이들 절반은 학급 화폐로 이것저것 간식을 사 먹을 수 있음에 관심을 가지지만 또 절반은 직업 신청을 안 해도 괜찮다고 하는 것에 기뻐하여 아무것도 신청하지 않습니다. 직업 10개 신청하던 작년 아이들이 그리워진 순간입니다. 그래도 뭐 어떻게든 운영해야지요. 또 언제든 신청할 수 있으니 아이들이 관심을 가질 수 있도록 홍보를 잘하는 게 중요하겠지요.

초반에 만들어야 할 것들이 이것저것 많아 디자이너만 사용할 수 있는 디자이너 박스 홍보를 열심히 했더니 꽤 많이 신청했습니다. 그리고 의뢰 신청서에다가 만들어야 할 것들을 적어두었습니다. 그랬더니 디자이너들이 의뢰 신청서에 본인이 만들겠다고 경쟁

심이 붙더니 게임 퀘스트 해결하는 것처럼 쉬지 않고 일하더군요. 우려와 달리 처음 시작부터 좋습니다. 수업 시간엔 대답은 잘 안 해도, 이 친구들이면 어떤 것이든 믿고 맡길 수 있을 것 같습니다.

▲디자이너 박스와 의뢰 신청서

시작한 지 며칠이 지난 후 월급을 소비할 수 있는 뽑기 매니저와 바리스타로 직업놀이의 전성기가 찾아옵니다. 듣기만 해도 당연히 재밌어 보이는 뽑기 매니저와 바리스타 직업들은 많이 신청해 주었습니다. 평소에 말을 거의 안 하는 친구가 있었는데 그 친구가 뽑기 매니저를 신청했고 이 직업을 하면서 친구들이랑 조금씩 이야기를 나누는 것 같아 너무 좋아 보였습니다. 간식 정리할 때 그 친구를 불러 같이 저와도 대화하는 시간을 자연스럽게 가질 수 있었습니다. 덤벙대는 친구는 바리스타 직업을 통해 자칫 본인이 실수하여 우유라도 흘릴까 신중하게 초콜릿 가루를 부어 흔드는 모습이 웃기기도 했지요. 또한 간식을 사 먹고 싶은 마음에 직업을 신청하지 않았던 친구들도 관심 가는 직업으로 하나둘씩 신청하기 시작합니다. 둘이서만 노는 걸 좋아하는 친구는 학급에 일에는 전혀 관심이 없었는데 둘이 할 수 있는 우유 배달 성장 지킴이를 같이 신청하고는 우유를 나눠주면서 다른 친구들에게도 이야기를 나누며 관심을 가지게 되었습니다. 나중에는 솔선수범 팀장이 되었지요.

그러나 시간이 지나면 자연스럽게 흥미가 떨어지죠. 변화가 필요할 때입니다. 새로운 직업을 추가하고, 기존의 직업도 할 일을 추가해 줍니다. 점심에 음악을 틀어줄 음악 DJ와 단소 지도와 검사를 도와줄 단소 선생님을 추가했습니다. 음악 DJ는 대중가요, 단소는 악기 연주 각각에 흥미와 소질이 있는 친구들이 신청하였습니다. 이렇게 아이들의 관심과 소질을 탐색하여 직업들을 만들어 줍니다. 그리고 바리스타는 초콜릿 가루뿐만 아니라 아이스티도 추가하여 만들 수 있게 되었습니다. 뽑기 매니저도 기존에는 캡슐 랜덤 뽑기였다면 종이로 스테이플러를 찍어 옛날 뽑기 판으로 만들어보기도 하고, 뽑기 기계를 구매하여 운영하기도 했습니다.

언제나 기쁜 일만 있지는 않았습니다. 친구들이 친해지고 나니깐 "야, 은행원!", "야, 바리스타 어디 갔냐?"라는 등 예의 없게 행동하는 경우가 많았고, 일하는 친구들도 "네가 알아서 해.", "싫으면 오지 마."라며 퉁명스럽게 반응하는 때도 많아졌습니다. 학급 회의로 매주 이 말이 오갔고, 계속 그 부분에 대해 교육했습니다. 또 어느 날은 아이들이 복권이 있었으면 좋겠다고 하여 복권 가게를 운영했고 아이들의 관심은 컸습니다.

그런데 항상 하고 나면 저 스스로 찝찝했죠. 복권 숫자가 맞아 1등만 하면 된다는 한탕의 느낌이 들었습니다. 직업 한 개는 계속 하던 친구가 복권 1등에 당첨되자 그 직업마저도 더이상 더 안 하겠다고 합니다. 학급 화폐로 거래를 하면 안 된다고 해도 그걸 이용해 물건이나 노동력을 거래하려고 했죠. 아이들이 복권을 재밌어 했지만, 안 되겠다 싶어 직업을 없앴습니다.

그러다 100일이 되어 파티를 계획할 겸 파티플래너 직업을 추가했습니다. 엄청나게 많은 친구가 신청했습니다. 많은 친구를 데리고 어떻게 운영할지 고민하다가 디자인팀과 운영팀으로 구분하기로 했습니다. 파티플래너 신청자의 반은 디자이너를 했었거나 하고 있는 친구들이기 때문이었죠.

▲디자인팀이 준비한 100일 파티 칠판

▲직접 만들어 온 100일 파티 책상 배치

그래서 디자인팀은 파티에 어울리게 칠판과 교실을 꾸미고, 운영팀은 파티 때 할 일들을 계획하는 일로 나누었습니다. 파티 전날이 되자 운영팀을 불러 무엇을 할 것인지 들었는데 계획이 너무 완벽했습니다. 역시 알아서 척척 잘하던 아이들이었습니다.

파티하는 날, 디자인팀이 오면 9시쯤부터 꾸미게 하려고 했는데 엄청나게 일찍 왔습니다. 왜 이렇게 일찍 왔냐고 물어봤더니 파티 준비하려고 왔다고 합니다. 일찍 오라고 한 적도 없는데 그냥 빨리 재밌는 거 하고 싶어서 왔다고 하니 파티 안 했으면 어쩔 뻔했나 싶습니다. 영화 티켓도 예쁘게 만들어 오고, 영화관 느낌 나게 책상 배치도 준비해 두고 나니 아이들이 너무 신이 났습니다. 여기서 제가 한 건 파티플래너 직업 추가해 준 것밖에 없는데 이렇게 행복해하니 고마웠습니다.

2학기가 되어 아이들끼리는 더 가까워졌습니다. 직업놀이를 할 때 아이들은 어느새 서로 존댓말로 하는 게 익숙해졌습니다. 비서팀이 하교 시간에 알림장 검사하는데 수업이 늦어져 알림장 못 쓰는 날이면 비서팀이 본인들 일 못 한다고 얼마나 아쉬워하는지. 아이스티 다른 맛 제품이 들어올 때 시음식을 했더니 그날 나온 요구르트병을 씻어서는 먹겠다고 달려오는 게 얼마나 귀여웠는지 모릅니다.

수업 시간에는 1학기 때 직업놀이를 통해 아이들 본인들이 스스로 계획하고 운영하는 것이 익숙해진 터라 모둠별 프로젝트 학습을 어렵지 않게 척척 해나갑니다. 적막만이 감싸던 수업 시간은 이제 쉬는 시간과 별반 다름없게 시끄럽습니다. 그러다 모둠별로 싸울 때도 있는데 이미 직업놀이를 하면서 싸울 건 다 싸우고, 서로를 이해하고 아끼는 마음만 남았는지 싸움이 간단한 사과로 싱겁게 서로 웃으며 끝납니다. 저 또한 직업놀이를 하면서 아이들의 예쁜 점을 많이 봐와서 아무리 별난 행동을 해도 화가 나다가도 그저 웃길 뿐입니다. 그렇게 2학기 마무리 파티까지 재밌게 즐기고, 졸업식으로 아이들을 떠나보내었습니다.

6학년을 맡은 것은 올해가 두 번째였고, 첫 번째는 신규였던 때입니다. 학급 운영에 아무것도 모르고, 경험도 없었던 저는 그해 졸업식에는 아이들한테 미안함이 컸습니다. 그런데 올해 졸업식은 사뭇 달랐습니다. 저의 그간의 쌓인 경험도 있었겠지만, 직업놀이와 함께한 올해는 제가 해줄 수 있는 건 다 해주었고, 아이들 덕분에 많이 웃었던 한 해였습니다. 그래서 떠나보내는 날 시원했습니다. 또 중학교 가서는 아주 더 성장할 것이라 믿어 의심치 않았거든요.

매년 직업놀이를 할 때마다 다양한 우여곡절을 겪습니다. 사실 그래서 더 재밌고 더 발전시키고 싶은 게 직업놀이입니다. 내년에는 또 다른 아이들의 빛나는 색깔들과 어떤 재밌는 일이 생길지 기대가 됩니다.

제15화

상추가 아주 잘 자랐슈

(직업놀이 2년 차 교실 이야기)

사르르샘, 경기, 5년 차

반가워유

6학년에 이어 5학년을 맡게 되었습니다. 한 살 차이임에도 느낌이 꽤 달랐습니다. 그나저나 제가 맡는 아이들은 왜 이리 말이 많은지…. 첫날에 알 수 있었습니다, 올해도 와글와글하겠다는 것을….^^ 어쩌면 수다스러운 담임 교사에게 딱 맞는 아이들이었을지도요. 아이들과 친해지고 싶을 땐 충청도 사투리를 구사하는데, 이런 제 말투를 아이들이 따라 하는 모습이 참 웃겼습니다.

이제 직업놀이 경력직이란 자부심을 가지고 3월에 당차게 아이들에게 직업놀이 시작을 공표했습니다. 직업놀이 환경구성도 착착, 신청도 착착 이루어졌습니다. 자아도취 하느라 교실은 뜻대로 흘러가지 않는다는 걸 깜박 잊었습니다. 앞서 '아이 성장편'에서 소개한 환희에게 진땀을 빼느라 3월이 후다닥 지나갔습니다. 아이가 뜻대로 되지 않자 직업놀이 운영도 위태위태했습니다.

농사 좀 하려는디요

힘겨운 시간을 주변 교사들의 도움을 받아 가까스로 넘기고, 직업놀이 재정비에 들어갔습니다. 작년의 6학년은 직업놀이를 하며 창의적인 아이디어를 무궁무진 쏟아내고 이를 실현하는 데에 큰 기쁨을 느꼈습니다. 반면 올해 5학년은 주어진 것 외에 새로운 것을 하는 데에 흥미가 없고, 정해진 루틴을 성실하게 반복하는 데에서 성취감을 느끼는 모습이었습니다. 올해 아이들에게 인기가 많았던 직업 순위는 다음과 같습니다.

■ 인기 직업 Top 4

4. 농부
5. 코치팀
6. 안전보안관
7. 칠판 관리사

지금부터 아이들에게 1위였던 농부 운영 사례를 자세히 풀어보려 합니다. 시작은 '식물관리사'였습니다. 식물을 유달리 사랑하는 한 남자아이가 있었습니다. 학부모 상담에서 보호자께선 아이가 다른 남자아이들처럼 운동을 좋아하는 대신 식물을 좋아해 내심 걱정이라 하셨습니다(강약약강 세계를 걱정하신 듯 합니다). 점심시간에 다른 아이들이 운동장에서 축구할 때 이 아이는 자신이 가져온 화분에 분무기를 칙칙 뿌렸습니다.

5학년 실과 교육과정에 식물 키우기 단원이 있습니다. 이와 연계하여 학년 특색 활동으로 텃밭 가꾸기를 준비했습니다. 식물관리사였던 아이는 '농부'란 직업을 만들고, "같이 농부 할 사람~?"하며 지원자를 모집했습니다. 남녀 가리지 않고 농부에 지원했고, 이 아이들은 등교 전, 점심시간, 하교 후에 돌아가며 애지중지 미니 텃밭을 가꾸었습니다.

▲분무기와 화분

▲분양을 기다리는 딸기 모종들

▲학급 미니 텃밭

흙의 촉촉한 정도를 보며 물도 주고, 무성한 잡초도 솎고, 어느 날 우글우글 나타난 송충이(!)도 열심히 잡았답니다. 옆 반의 작물들이 시들시들해지자 농부들은 옆 반에 노하우를 전수하며 아주 활발히 활동했습니다.

해가 쨍쨍한 여름, 농부들은 작고 소중한 딸기, 고추, 가지, 상추 등 땀 흘린 결실을 보았습니다. 수확한 채소를 학급 친구들과 나누고, 친환경 우유 팩 화분에 딸기 모종을 넣어 분양하기도 했습니다. 우유 팩 화분을 만들기 위해 우유 팩을 깨끗이 씻고 말리는데, 그 모습이 참 예뻤습니다.^^ 농부는 아이들의 자율성과 협동심이 최고로 빛났던 직업놀이였습니다.☆

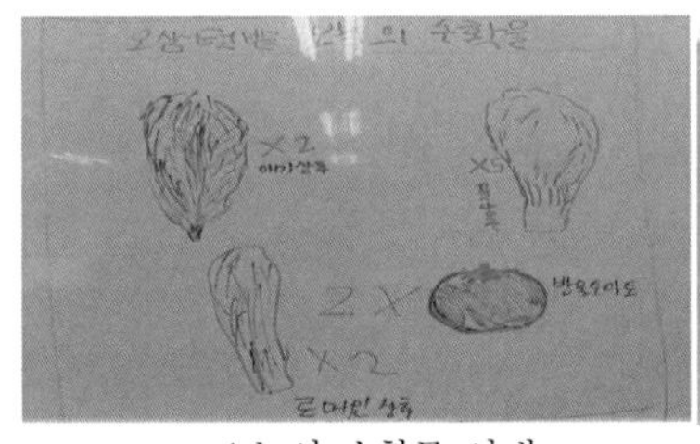

▲오늘의 수확물 안내

▲오늘의 수확물

농사 끝났슈

공기가 차가워지자, 보랏빛 가지를 끝으로 농부 직업놀이는 종료되었습니다. 아이들은 무척 아쉬워하면서 내년에도 작물을 키우겠다는 의지를 다졌습니다. 농부 협력 놀이로 아이들의 관계가 한층 탄탄해져 무척 기특했습니다.

올해 직업놀이 학급 운영을 되돌아보며 아쉬운 점을 꼽자면 '시간'입니다. 작년에 동아리활동은 학급별로 운영하였는데, 올해 동아리활동은 학년이 같이 운영하다 보니 직업놀이를 위한 시간을 마련하기가 쉽지 않았습니다. 물론 직업놀이는 쉬는 시간, 점심시간에도 이루어질 수 있지만, 프로젝트를 하기에는 시간이 부족했습니다. 다른 시간을 활용하기에는 5학년 교과 내용이 빡빡하여 동아리활동 시간을 이용하지 못하는 게 특히 아쉬웠습니다. 다음 학년도는 교육과정을 유연하게 재구성해보려 합니다.

제16화

직업놀이로 꽃 피운 자율 교실

(직업놀이 2년 차 교실 이야기)

규니샘, 인천, 25년 차

스스로 만들어가는 행복한 우리 반

평소 '행복'이란 말을 좋아하기도 하고 자주 사용하기도 하는 저는 행복하고 평화로운 학급을 만들고 싶다는 생각으로 매해 학급 운영을 시작합니다. 이런 저의 삶의 가치관과 딱 맞는 직업놀이를 만난 지 꼭 2년이 되었어요. 22년에는 직업놀이의 매력에 푹 빠진 한 해였다면 23년은 직업놀이에 푹 빠진 사랑스러운 아이들의 모습을 보며 많이 '행복'했던 한 해였어요. 직업놀이 1년 차에는 제가 직업놀이에 많이 관여했다면 2년 차에는 아이들이 '스스로' 꾸며 가는 직업놀이를 바라보며 제가 꿈꿔 온 '자율 교실'이 만들어지는 과정을 온전히 즐길 수 있었던 시간이었어요. 아이들도, 부모님도, 교사도 행복해지는 직업놀이 이야기! 지금부터 시작합니다.

행복과 자율의 씨앗을 심다

작년에 이어 올해도 밝고 예쁜 28명의 6학년 아이들과 직업놀이를 시작했어요. 작년에 기본적인 물품, 양식을 갖춘 터라 2년 차 직업놀이 시작이 수월했답니다.

사실 부담스러운 6학년 부장을 2년이나 하겠다고 한 건 직업놀이의 영향이 컸어요. 6학년 아이들이 자율적으로 알차게 직업놀이에 참여하는 데다가 학년 부장이라 다른 반 교사 눈치 보지 않고 왁자지껄하고 즐겁게 아이들과 온전히 직업놀이를 할 수 있기 때문이지요.

작년에 실패했던 '반의원' 직업을 시작했어요. 너무도 열심히 참여하는 반의원 아이들이 너무 예뻐서 흐뭇한 마음에 사진으로 남겼답니다.

교실 앞에 미니 보드를 두고 신문고처럼 누구든 해결해야 할 문제를 적게 했고 반의원이 모여서 열심히 토의하고 자기들끼리 거수를 통해 다수결로 그럴듯한 해결 방법을 학급 친구들에게 내놓았어요. 거기다 생각지도 않았던 조직표까지 만들어서요.

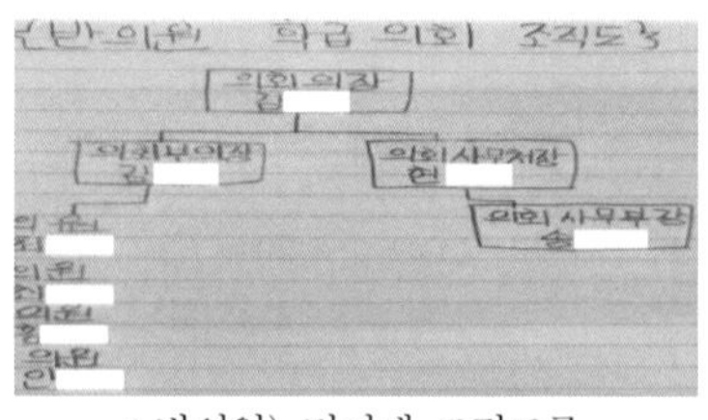

▲반의원) 멋지게 조직도를 그려 내밀던 의장님

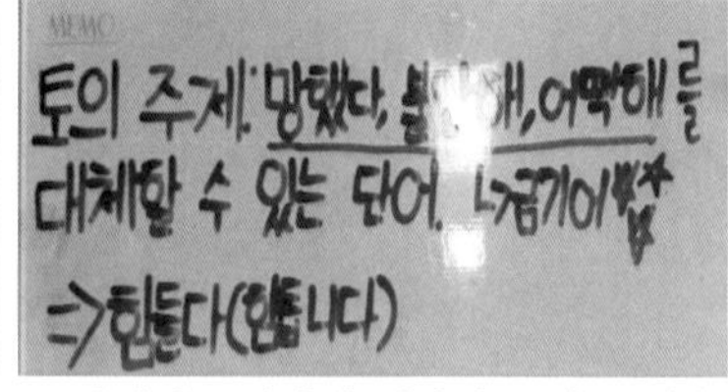

▲반의원)교실앞에 게시된 토의 주제판

뭐든 눈빛을 반짝이며 즐겁게 참여하는 예쁜이들과의 하루하루가 6부장 업무로 매일 6시 퇴근하는 저이지만 즐겁고 행복하네요. 다음 주에 본격적으로 은행원 업무를 시작하기로 했어요. 그러면 월급으로 간식, 아이템도 살 수 있으니 우리 반 친구들이 더 바빠지겠네요.

환경지킴이 친구들이 알아서 분리수거, 교실 청소를 합니다. 칠판 관리사들이 시간표, 날짜 바꾸고 매시간 깔끔하게 칠판 지우고 지우개 걸레 빨고, 학급 군인이 쉬는 시간 없이 일하는 제 자리에 교탁으로 막아주며 친구들이 방해하지 않게 도와줍니다. 안전보안관은 문단속을 해주고, 공무원은 저보다 더 깔끔하게 회신문, 과제물을 정리합니다. 학급 외교관은 졸업앨범 수요조사 가정통신문을 기쁜 마음으로 다른 반에 배달하고요. 디자이너들은 직업 카드 만드느라 정신이 없네요.

바쁜 3월, 6부장이라서 더 바쁜 하루하루를 버틸 수 있는 이유는 오늘도 직업놀이로 반짝이는 아이들이 있기 때문입니다.

항상 직업놀이를 생각하면 '감사'가 뒤따릅니다.

이것이 직업놀이의 '매력'이자 '힘'이자 '마술'이 아닐까요?

▲반의원) 의장님이 토의 결과를 안내하고 반 전체에 동의를 구하는 장면 포착!

행복과 자율의 싹을 틔우다!

올해는 작년보다 아이들의 적극성이 더 빛나는 해네요. 전 몇 마디 입으로 거들 뿐인데 뭔가 자기들끼리 착착 진행하는 자율적인 모습이 너무 기특합니다. 생일파티와 오픈 클래스가 착착 진행 중이네요.

3월 2주부터 복도에 모여 계속 회의하더니 드디어 생일파티를 하려나 봅니다. 파티플래너들이 지난주 금요일 큰 홍보를 하더니 오늘 학급 게시판에 이런 글이 올라오네요. 이 글을 보고 잠깐 설명했던 학급 프로젝트와 협업을 너무 잘 이해하고 진행한다는 생각에 소름이 쫙 돋았습니다. 이렇게 기특하고 사랑스러운 아이들인데 6학년 부장으로서 보내는 3월이라 맘껏 이뻐해 주지도 못하는 현실이 속상하고 안타깝네요. 직업놀이 첫해인 작년에는 잘 실천하지 못했던 협업 프로젝트가 한 달도 안 되어 실현을 코앞에 두다니 너무 신기할 따름입니다.

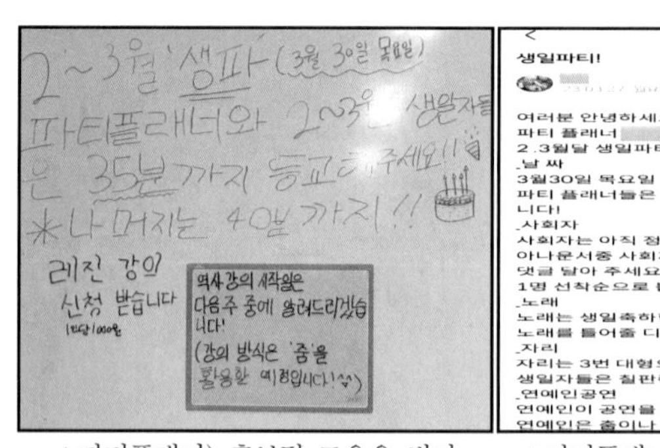

▲파티플래너) 홍보팀 도움을 받아 생파와 오픈 클래스 홍보 중!

▲파티플래너) 학급 게시판에 올라온 생일파티 홍보 게시물

꽃을 좋아하는 동료 교사와 꽃을 공동으로 구매했는데 저보다 일찍 온 아이들에게 꽃다발을 맡기고 가셨나 봐요. 제가 출근하니 꽃다발을 든 어여쁜 제자들이 꽃보다 더 환한 미소를 지으며 저에게 꽃다발을 안겨 줍니다. 월요병으로 우울했던 마음이 환해졌어요. 함께 보려고 사물함 위에 올려뒀더니 쉬는 시간마다 꽃이 기울어질세라 꽃을 매만지던 친구들이 보이네요. 또 미소 짓게 되었어요. 작년 우리 반 이쁜이들이 교복을 예쁘게 차려입고 절 찾아왔길래 엄마 가져다드리라고 빨강 장미꽃 한 송이씩 안겨 보냈어요. 졸업한 지 두 달 남짓 되었는데 훌쩍 커버린 이쁜이들. 디자이너들이라 자기들이 만든 직업 카드가 다시 붙어있는 걸 보더니 너무 좋아하더라고요. 중학교는 삭막하다면서 함께 한 시절을 그리워하다가 갔답니다.

보드판에 적어둔 홍보팀의 멘트가 사춘기가 시작되는 친구들에게 홍보 간판은 불완전한 감정을 표현하는 좋은 수단이 되네요. 헌데... 글씨가...^^

▲식물관리사) 이 꽃 덕분에 행복한 하루 보냈답니다.

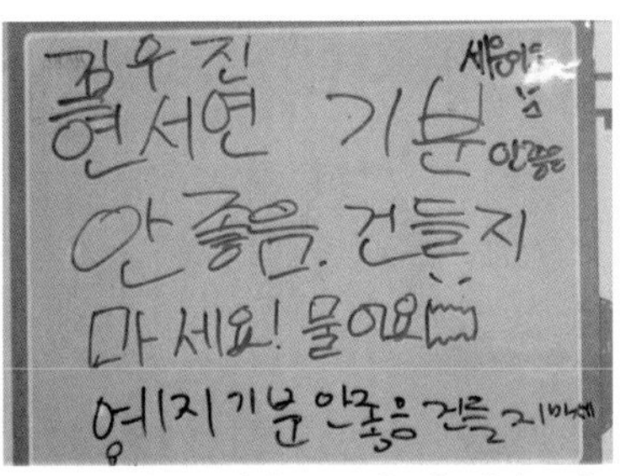

▲홍보팀) 글씨가 조금만 더 예뻤으면 좋겠다고 잔소리 좀 했어요.

6부장이라 너무 바빠서 아이들을 찬찬히 돌아보기 힘든데도, 직업놀이라는 울타리 안에서 무럭무럭 잘 자라고 있는 대견이들 소식 전합니다.

컨디션이 안 좋은 월요일 아침. 개성이 강하고 창의성이 뛰어난 오빠(작년에 우리 반 아이템 개발자이자 MC였어요.)를 닮은 우리 반 여학생이 아이스크림 종이가방에 고이 모셔 온 어항 속 새 친구 덕분에 조금씩 활기를 찾기 시작했어요. 신비로운 파란색 큰 꼬리지느러미를 흔들며 유유히 헤엄치는 그 녀석 덕분에 우리 반 아이들의 이야깃거리와 추억이 하나 더 쌓였답니다.

▲동식물관리사
우리 반에 찾아온 동식물 친구들

식물관리사만 있던 우리 반 직업에 동물 관리사를 추가하면 좋겠다던 해를 닮은 아이의 건의로 변리사와 제가 함께 고민한 끝에 '동식물관리사'라는 직업으로 업그레이드 시킨 게 일주일 전이었어요. 그런데 이렇게 빨리도 멋진 친구가 생길 줄은 예상하지 못했기에 기쁨이 배가 되었답니다. 텅 빈 교실을 지키느라 외롭진 않은지, 배가 고프진 않은지 걱정이 되는 걸 보니 벌써 정이 들기 시작하나 봐요. 반의원들이 새 친구의 이름을 뭐라고 지을지 회의를 해야겠다고 제 옆에서 자기들끼리 얘기하네요. 그렇게 스스로 일을 찾아서 하는 아이들이 너무 예뻐 글을 남기게 됩니다.

▲동식물관리사)
왼쪽이 구와 피, 오른쪽이 왕관이

▲쉬는 시간마다
물고기를 보러 오는 아이들 모습

무럭무럭 자라는 행복과 자율

아침

1. 칠판 관리사

매일 1등으로 도착하는 남학생 1명, 여학생 1명이 제가 도착하기 전부터 시간표, 날짜 바꾸고 칠판지우개 걸레를 깨끗하게 빨아오네요.

2. 음악 DJ

아이들끼리 회의로 요일별 담당을 정했고 오늘 당번인 참한 여학생이 블루투스 스피커에 연결한 노트북을 조용히 열어 신청곡 중에서 8곡을 골라 플레이 리스트에 담고 음악을 틀어줍니다. 뽀로로부터 팝송, 가요, 영웅 OST까지… 아침 활동이 즐거워집니다.

음악 DJ 신청곡 목록표

담당 음악 DJ :

	신청한 날짜	신청하는 사람	가수	노래 제목	확인
1	2023.3.22		벤	180도	
2	2023.3.22	김	조광일	쿠키 영상	
3	2023.3.22	송	윤하	비밀번호 486	
4	2023.3.22	진	높은음자리	바다에누워	

▲음악 DJ) 교실 앞 게시판에 붙여뒀어요.
80년대 유행한 노래가 보여 깜짝 놀랐네요.

3. 동식물관리사

반의원들의 제안으로 물고기 친구들의 이름짓기 설문조사 결과 다수결로 '왕관'이라는 예쁜 이름을 가지게 된 물고기 밥도 주고 밤새 잘 있었는지 살피네요.

수업 시작

1. 학급 군인

1교시 영어 전담실로 친구들을 줄 세워 앞뒤로 호위하며 질서 있게 이동합니다.

2. 스포츠 교사

4교시 체육 시간, 교실에서 앉은뱅이 교실 배구를 위해 네트 설치를 신속하게 해주고 수업 후 정리도 척척 해줍니다.

3. 비서팀

5교시 음악 시간, 트레몰로 주법도 연습하고 악곡의 형식을 배우며 작은 세도막 형식 노래인 잠자리, 두도막 형식인 기러기를 실로폰으로 연주하려고 음악 자료실에 함께 가서 실로폰 28개를 수레에 싣고 와 줍니다.

쉬는 시간

1. 은행원

화, 목 3교시 쉬는 시간. 일한 만큼 쏠쏠하게 모인 월급을 받고 즐거워하네요. 일 통장은 우리 반 멀티 노트의 '일밭' 부분이 대신합니다.

▲은행원) 주위로 몰린 친구들

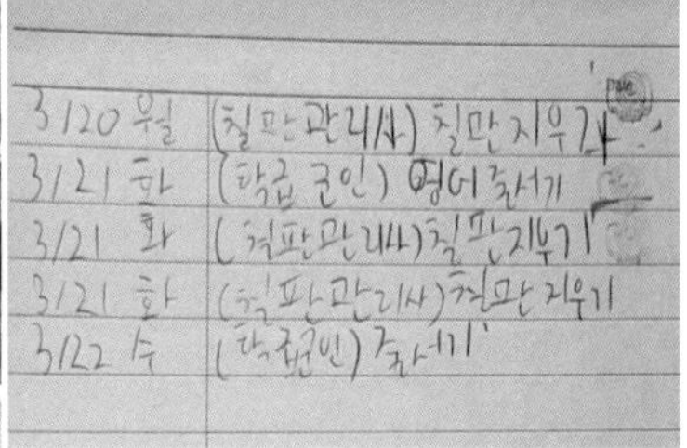
▲은행원) 일 통장을 적은 모습

2. 탐정

우리 반에도 매일 큰 소리로 울고 짜증을 내는, 좀처럼 6학년 교실에서 보기 힘든 ADHD 이룸이가 있답니다. 어제 은행원에게 받은 월급 중 천원이 사라졌다고 수업 중에 짜증 내고 가방과 서랍에 있는 걸 온통 끄집어내서 소란을 피우기 시작했어요. 마침 제 자리에서 제가 발견한 주인 없는 천원을 탐정에게 건넸고, 여러 난서를 통해 2명의 주인 후보 중 이룸이가 유력한 주인이라며 찾아

주었어요. 얌전해진 이룸이 덕분에 무사히 수업을 마칠 수 있었어요. 공책에 단서를 찾아가며 주인을 찾는 탐정 두 명이 어찌나 사랑스럽던지요.^^

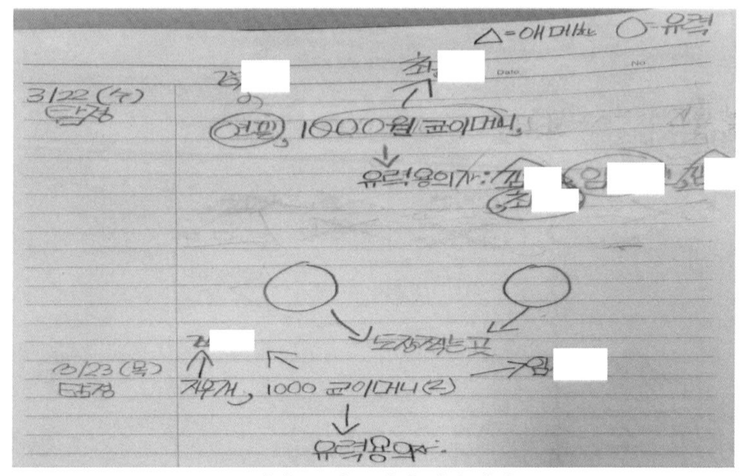

▲탐정) 주인을 찾기 위한 단서

3. 파티플래너

3월 30일 아침 활동 시간에 첫 생일파티 준비로 계속 회의하네요. 제게 다가와 생일인 친구들 선물로 츄파춥스 사탕을 예쁘게 포장하고 색 도화지에 친구들이 포스트잇에 쓴 편지로 꾸며서 주고 싶다며 필요한 것을 말해줍니다. 학급운영비를 개시해야겠네요.

4. 홍보팀

코로나 백신을 맞아 한쪽 팔을 움직일 수 없다던 한 친구에게 그 사실을 친구들에게 알려 건드리지 않게 홍보팀에게 부탁해 보라고 했더니 어느새 홍보용 작은 보드에 홍보물이 만들어져 게시판에 떡 하니 붙어있네요. 열 일하는 홍보팀!

5. 아이템 판매원

월급을 받았으니 플렉스 해야겠죠? 열심히 일한 당신! 소비하라!

▲아이템 판매원) 열심히 일하는 중

6. 간식판매원

오늘 오리엔테이션을 했고 쉬는 시간마다 모여 판매 요일을 정하는 회의를 하느라 분주합니다. 5교시 후 밥을 먹는 데다가 아침을 거르고 오는 아이들도 많은데 사랑둥이들이 간식으로 조금이나마 허기를 달랠 수 있기를 바랍니다.

▲간식판매원) 요일을 정해 야무지게
간식을 판매하는 모습

오늘도 열심히 일하며 하루를 즐겁게 보내다가 간 사랑둥이들. 첫 월급으로 받은 돈을 보관한다고 'GU○○I'를 벤치마킹한 'A

GUCCI M'(아구찜)을 그려 넣은 지퍼백 지갑을 보여주며 환한 웃음을 웃던 한 아이의 재치에 저도 덩달아 웃었어요

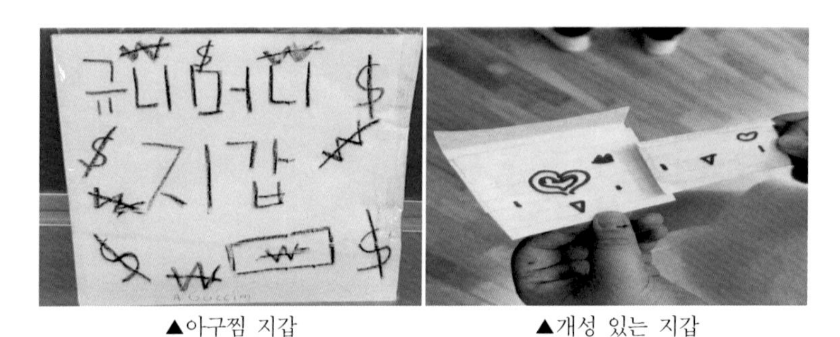

▲아구찜 지갑 ▲개성 있는 지갑

돈을 잃어버리지 않도록 개성 넘치는 지갑을 만들기가 유행이네요. 매일 매일 직업놀이로 많이 웃고 행복한 교실 이야기 전해드려요. 내일은 또 어떤 모습으로 북적일지 기대가 되네요.

행복과 자율의 꽃이 피는 직업놀이

■ 자율과 협업의 학급 프로젝트 1 - 생일파티

파티플래너들이 다른 직업 친구들과 협업을 통해 만들어 낸 멋진 생일파티 현장을 공개합니다.

1. 협업 준비

- 3월 2주 직업놀이를 시작하며 파티플래너들이 호기롭게 생일파티 준비 시작
- 거의 매일 쉬는 시간, 복도 구석에 모여 회의 또 회의
- 교사의 협업 안내 후 다른 직업들 섭외 시작

2. 협업 실행

- 파티플래너들이 교사에게 생일 선물 및 고깔모자, 8절 색 도화지, 포스트잇 요청
- 교사는 학급운영비, 학습 준비물로 필요 물품 구매
- 플래너들이 홍보팀, 칠판 관리사에게 생일파티 안내 요청
- 플래너들이 아나운서 중 파티 진행자 섭외하고 홍보팀이 칠판에 진행자 소개
- 2일에 걸쳐 파티플래너들이 역할을 분담해서 생일인 아이들에게 포스트잇에 편지를 쓰도록 학급 친구들에게 안내.
- 비서팀의 도움을 받아 친구들 선물 포장
- 축하 공연을 위한 음악가 섭외(우쿨렐레 연주자)
- 생일 축하곡을 틀어줄 DJ 섭외

3. 첫 생일파티

- 아침 일찍 플래너들 등교
- 칠판 장식 및 책상, 의자 배치
- MC의 멘트로 생일파티 시작
- DJ 생일 축하 노래 플레이하고 같이 노래 부르기
- 사진작가의 사진 촬영
- 선물과 롤링페이퍼 전달
- MC의 진행으로 축하 공연
- 1교시 시작까지 시간이 남아 눈치 게임을 즐김

▲파티플래너) 전 그저 흐뭇하게 아이들 모습을 사진에 담았어요.

▲아나운서) 열심히 핸드폰에 저장한 멘트를 하며 진행하는 아나운서

▲파티플래너) 친구들이 써 준 롤링페이퍼를 읽고 있네요.

▲파티플래너) 표지 그림은 사진을 통해 처음 봤어요. 사랑스러운 플래너님들

▲파티플래너) 고깔과 파티용품 장착한 귀여운 생일자들

▲음악가) 우쿨렐레 축하 공연. 제주도 푸른 밤~ 호응하는 예쁜 아이들

4. 생일파티 후

- 모든 친구가 책상 정리 및 뒷정리
- 플래너 친구들이 파티용품 정리
- 교사는 그저 칭찬의 말 가득가득

"여러분의 자율적인 협업에 감동했어요. 열심히 파티 준비하고 멋진 파티를 실행한 플래너와 멋진 MC, DJ, 그리고 홍보팀, 모두 정말 고마워요. 선생님이 기대했던 것 이상의 훌륭한 파티였어요."

- 사진작가가 학급 홈페이지에 사진 올리기
- 교사는 학부모님들을 위한 훈훈한 게시물 올리기

5. 행사를 마치고

그저 뿌듯하고 신기한 경험이었어요. 직업놀이 1년 차였던 작년 친구들은 협업이 2학기 때가 되어서야 가능했는데, 이번 친구들은 제 의도를 빠르게 이해하고 서로 도와가며 행사를 멋지게 치르더라고요. 작년에 어떤 반에서 실시한 학급 자체 동아리 활동을 했던 친구들이 우리 반 플래너로 활동한 이유도 있지만 6학년임에도 제가 하자는 것들을 반짝이는 눈으로, 긍정적인 태도로 열심히 따라주는 심성이 고운 아이들 덕분에 직업놀이에 모두 푹 빠져 있어요.

자율이 가능하구나~ 협업이 가능하구나~

직업놀이가 되는구나~~~

그래서 우리 반은 항상 시끄럽지만 즐겁고 바쁘구나~~

하루하루가 신기한 경험의 연속이네요. 다음 협업이, 그 속에 푹 빠져 즐거워할 아이들을 볼 생각에 몹시 설레고 또 기대됩니다.

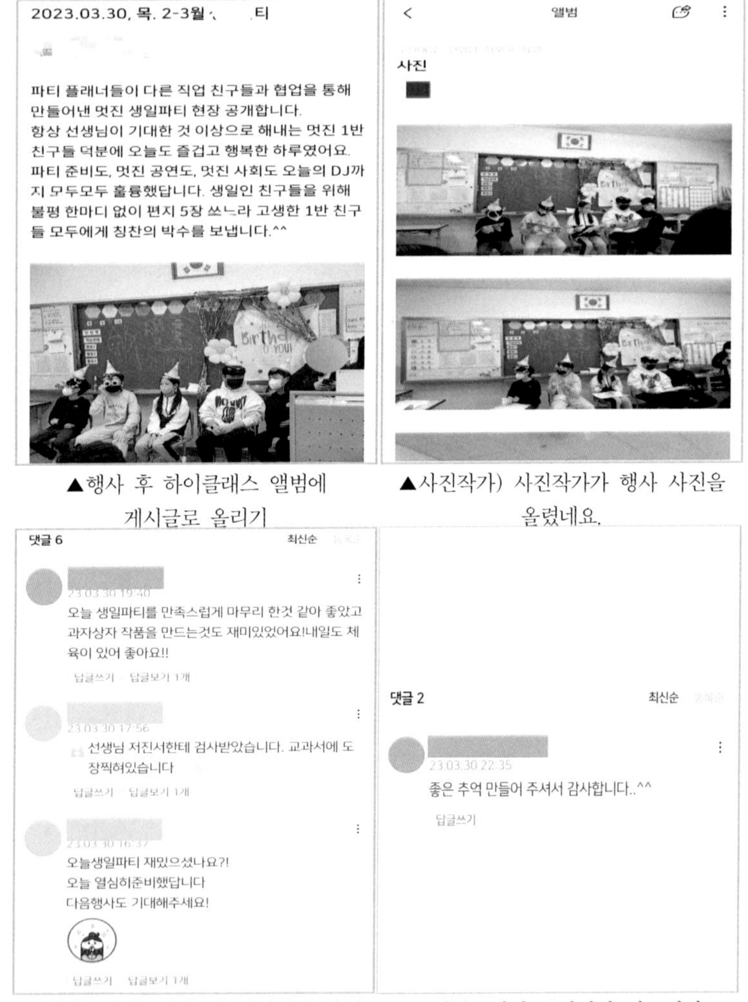

▲행사 후 하이클래스 앨범에 게시글로 올리기

▲사진작가) 사진작가가 행사 사진을 올렸네요.

▲파티플래너) 파티 날 알림장에 달린 파티에 대한 소감

▲학부모님의 긍정적인 피드백에 더 힘을 냅니다.

■ 자율과 협업의 학급 프로젝트 2

- 사랑 가득 마니또 게임 이벤트

사랑의 달 5월이 되니 사랑이 넘치는 우리 반도 들썩거리네요. 지난주 파티플래너 친구가 와서 진지한 눈빛으로 마니또 이벤트를 하고 싶다고 이야기했어요. 저랑 회의 아닌 회의를 통해 아이들의 동의를 구하기로 하고 5월 3일, 수업 전에 거수로 동의 여부를 물었더니 80% 이상 찬성했고 5월 8일부터 시작한다고 홍보까지 야무지게 하네요.

오늘은 5월 8일. 수학 수업 후에 시간이 남자 파티플래너님들이 준비한 종이를 들고나와서 놀이를 진행하는데 그 모습이 너무 사랑스러워서 사진으로 남겨봤어요. 학년 부장이라 바쁘다는 핑계로 잘 챙기지도 못하는데 저의 빈틈을 꽉꽉 채우고도 남을 만큼 자기들끼리 너무 즐겁게, 행복하게 지내네요. 감동적인 쪽지를 뽑고 그 친구를 위해 편지와 작은 선물로 마음을 나누는 사랑 가득한 우리 반 친구들이 너무너무 예쁘고 사랑스러워서 자랑하고 싶어요.^^

▲파티플래너) 준비한 마니또 놀이 방법을 안내하는 예쁜 플래너님

▲파티플래너) 28명분 이름 쪽지를 정성들여 고이 접은 그 마음에 감동했어요.

안녕하세요. 파티플래너 세은입니다.
이번에 저희가 준비한 행사는 '마니또'입니다.
기간은 5월8일~5월22일 까지 입니다
마니또는 준비된 제비뽑기로 ~~뽑을건데요~~, 정할거고,
자신의 마니또 이름을 보고 실망하고 짜증낸다는 태도로
~~실망 해주시면 감사하겠습니다.~~ 친구가 속상해할수
있으니 친해질수 있는 기회라 생각하고 즐겁게 임해 주시면
감사하겠습니다. 기본적으로 마니또의 이름을 다른친구
에게 말하면 안되고, 편지, 쪽지, 작은 선물등등
마니또 활동은 일주일에 3번이상 해야합니다.
편지는 앞에 비치된 상자안에 넣으면 아침에
우편배달원이 배달하도록 하겠습니다. 선물은 아무에게나
들키지 않게 직접 주시면 됩니다. 편지에 힌트를
적는것은 선택으로 하겠습니다. 열심히 준비했으니,
즐겁게 임해주시면 좋겠습니다. 그럼
마니또를 뽑도록 하겠습니다.

마니또 어떻게 뽑을거야?

처놓은거 빼도 될 것같아.
그리고 다 설명한 다음에 질문 받는건 어때?

이상한거 있어?

너가 하

ㅇㅋㅇㅋ
마니또 뽑는거 도와줄사람도 정해야 되지 않나?
너가 괜찮으면 너가 해도 좋고, 싫으면 내가 할게.

▲파티플래너) 멘트가 너무 고급스러워서 준비한 대본도 찍어봤어요.

■ 자율과 협업의 학급 프로젝트 3 - 사서 선생님

· 학급 도서관 오픈

매해 들고 다니는 학급 도서관 책이 100권 가까이 되었네요. 바빠서 미루어 두었던 학급 도서관을 오픈하며 사서 선생님 직업을 시작했어요. 너무나 즐겁게 머리를 맞대고 도서관 오픈 준비를 하는 사서 선생님들의 모습 사진에 담았어요. 사서 선생님은 책 대여, 반납을 대출 대장에 기록하고 학급 도서를 정리 및 관리하는

일을 해요. 또한 학급운영비로 살 수 있는 책 목록도 친구들의 건의를 받아 작성하는 일을 하지요. 앞으로도 사서 선생님의 활약상 올릴게요.

▲사서 선생님) 학급 도서 목록과 도서 확인 및 도서관 오픈 전 준비 중

▲사서 선생님) 도서관 오픈 전 새 책에 라벨링 작업을 하는 사서 선생님들

■ 자율과 협업의 학급 프로젝트 4 - 수학박사&꼬마 선생님

· 앎을 나누는 기회

수진 선생님의 직업놀이 연수에서 수학박사나 꼬마 선생님은 아이들의 수준이 확실하게 파악되고 친구들과의 안정적인 관계가 형성된 2학기부터 시작하는 것을 추천하셨어요. 고민하다가 아이들 사이에 2학기 때만큼 신뢰와 지지가 보이기도 하고, 저도 아이들에 대한 파악이 다 된 터라 과감히 시작했지요. 역시나 아이들의 활동 모습은 기대 이상이네요.

수학박사는 제가 늘 하던 전 차시 복습을 하거나 도움이 필요한 친구들을 도와주는 역할을 하지요. 꼬마 선생님은 과목별로 친구들을 돕는 역할을 해요. 잘하지 못해도 된다고, 도움을 줄 기회를 서로 주고받을 수 있는 따뜻한 직업이란 걸 많이 강조하고 있답니다.

자신이 아는 것을 친구들에게 설명할 수 있다면 정말 자기 것으로 만들었다는 이야기도 직업 시작 전에 해주었답니다. 친구들에게 서로 도움을 주고 응원하고 격려하길 좋아하는 우리 반 친구들에게 딱 맞는 직업이란 생각이 들어요. 아이들의 활약상이 무척 기대됩니다.

▲수학박사님) 소수의 나눗셈 전 차시 학습 내용을 설명하고 있네요.
이다음 장면은 아이들의 환호와 호응! 훈훈하게 수업을 시작합니다.^^

■ 무럭무럭 자라는 행복, 자율, 그리고 아이들

엔지니어, 반의원(feat.반의장과 반의원), 간식 판매원 이야기

· 엔지니어 이야기

교실에서 공용으로 사용하던 연필깎이가 개학 후 고장이 났어요. 역시나 엔지니어가 관심을 보이길래 버려도 좋으니 분해도 해보고 고쳐보라고 했어요. 그러길 2주! 집에서 공구를 가져와야겠다고 하더니 책상 위에 살림이 하나둘 늘어났어요. 급기야 순간접착제까지~ 너무 애쓰지 말라고 그냥 안 되면 버려도 된다고 했더니 고칠 수 있겠다며 이번 주 내내 고장 난 연필깎이와 씨름을 하더니 드디어 오늘 환호성을 지르며 깊이 박힌 지우개 조각을 꺼내 들더니 고쳤다며 너무 좋아했어요. 그 모습이 너무 예뻐서 기념 촬영하자고 했어요. 저도 너무 신기하고 기특해서 쌍 엄지를 보여주며 너무 멋지다고 포기하지 않음에, 뛰어난 실력에 존경한다고 얘기해줬어요. 종일 너무 행복해하던 아이의 모습에 저도 덩달아 기분이 좋아졌어요.

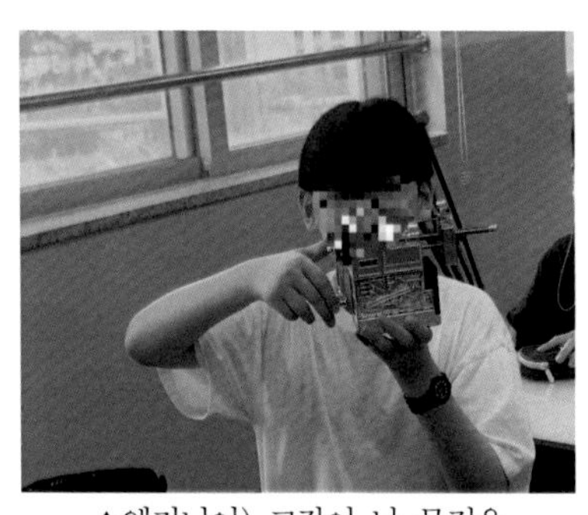
▲엔지니어) 고장이 난 물건을 뚝딱 고쳐내는 멋진 모습!

조금은 예민하고 그래서 친구들과 갈등이 많고 어두운 면도 있었던 친구인데 오늘 환하게 웃는 모습을 보이더니 종일 어찌나 모든 활동을 의욕적으로 하던지. 직업놀이가 아니면 아이나 저나 절대 경험하지 못했을 일이지요. 1학기 때에도 열쇠가 사라져 열지 못했던 우체통을 열어준 정말 고마운 친구라 진짜 보너스라도 챙겨주고 싶어요.

급기야 엔지니어님이 큰소리로 외칩니다. "졸업하지 말고 계속 6학년이었으면 좋겠어요!" 그 말에 제 마음이 몰캉몰캉해진 건 저만의 비밀! 저도 예쁜 이 아이들과 영원히 함께 같은 반이었음 좋겠어요.

· 반의회 (Feat. 반의장, 반의원)

그간 잠잠하던 우리 반 의회에서 청원을 올리라는 홍보를 하자 곧이어 청원이 올라왔어요. 오늘 점심을 먹고 올라오니 반 의장이 회의를 통해 의회 도서관법을 정했다고 수업 시작 전에 반 전체 아이들에게 동의를 구하고 싶다고 해서 허락했더니, 다수결로 통과되었어요. 그때 반의장의 뿌듯한 표정과 으쓱 올라가던 어깨가 너무 사랑스러웠어요. 어쩜 6학년인데 이리도 예쁘고 귀여울까요?

수업이 끝나고 방과 후까지 시간이 남았다면서 반의회 의원들이 제발 집에 가라고 하는 제 말에도 아랑곳하지 않고 교실에 남았어요. 그러더니 종이를 달라고 했어요. 뭘 하는지 봤더니 신나게 헌법이랑 법률을 만들어야 한다고 신이 나서 자기들끼리 머리를 맞대고 아이디어를 내더라고요. 9월에서야 만들기 시작한 걸 아쉬워하며 내년 제자들에게 그대로 전하고 법 개정을 하게 하라며 저에게 친절하게 팁까지 주더라고요. 시끄럽고 성가시기도 했지만, 너무 귀엽고 사랑스러웠어요. 그리고 직업놀이에 흠뻑 빠진 아이들을 보니 보람도 느꼈어요. 어떤 법이 완성될지 너무 궁금해요.

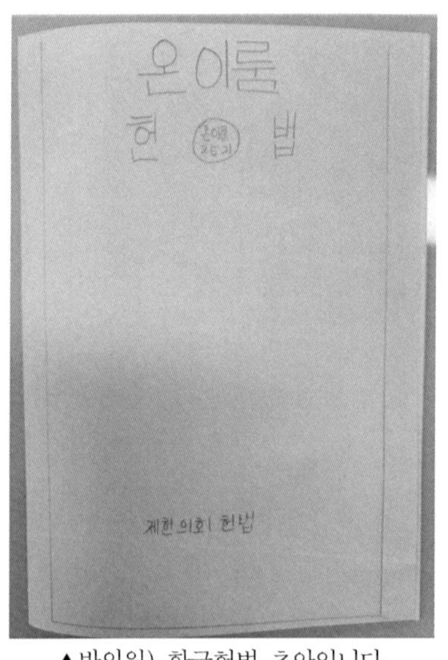

▲반의원) 학급헌법 초안입니다.

· 간식 판매원

개학과 동시에 간식 언제 들어오냐며, 간식 신청서를 내밀며 제게 오던 간식 판매원들의 성화에 오늘 드디어 간식을 한 아름 간식 판매원들에게 전달했어요. 신이 나서 간식 냉장고에 예쁘게 세팅하더니 아침부터 열심히 돈을 벌어 제게 가져다주네요.

간식을 판매하는 아이들은 주로 여자 친구들이고 주된 고객은 남자 친구들이지요. 간식 포장지는 꼭 쓰레기통에 넣어달라고 했는데 이 부탁을 너무도 잘 지켜주는 우리 반 친구들 덕분에 학급운영비가 벌써 오버가 될 만큼 간식을 계속 준비하게 되네요. 제 사비가 들더라도 아이들이 즐거워하는 모습을 보는 것이 좋네요.

행복과 자율이 주렁주렁 열리는 우리 반

직업놀이를 하지 않았다면 느낄 수 없을 가슴 벅찬 감동을 아이들에게서 종종 받게 됩니다.

작년 아이들과 올해 아이들은 결이 달라도 선하고 밝은 모습으로 성장하는 것을 보면서 직업놀이의 힘을 온몸으로 느꼈습니다. 다른 반과는 달리 작년도, 올해도 우리 반은 서로를 배려하고 도와주며 함께하는 '선한' 학급으로 다른 반들과 차별화가 됩니다. 전 이 모든 것이 직업놀이의 효과라고 생각합니다.

졸업을 1개월 앞둔 우리 반 친구들의 멋진 직업놀이 결과물을 소개합니다.

1. 온이룸 헌법 공포

지난 9월에 만들기 시작한 우리 반 헌법이 2023년 11월 17일 정식으로 공포가 되었습니다. 반의장님이 반의원 친구들과 2개월간 쉬는 시간, 점심시간에 열심히 만든 소중한 녀석이지요.

사실 이걸 받아들고 무척 감동했어요. 큰 기대가 없었기 때문이었나 봐요. 기회가 닿으면 내용도 꼭 보여드리고 싶어요. 헌법에 명시된 조항에 따라 이날 친구들 앞에서 동의를 구하고 만장일치로 정식으로 공포를 했지요. 내년에 만날 온이룸 26기 친구들에게 잘 넘겨달라고, 멋진 개정을 원한다는 말도 간절한 눈빛으로 제게 하던 의장님의 모습이 참 기특했답니다.

이렇게 직업놀이에 진심인 아이들을 보면서 아주 오래전에 직업놀이를 알았다면 얼마나 좋았을까 하는 아쉬운 마음이 들었어요.

▲반의원 친구들이 헌법 공포 동의 여부를 친구들에게 묻고 있어요. 모자이크 너머로 밝은 얼굴들이 보이네요.

▲반의원) 반의장 친구를 중심으로 만든 우리 반 헌법

2. 학급 보상-라면파티

아이들이 받은 월급은 클래스 123사이트 학급 보상 시스템과 연계하여 운영하고 있는데요. 은행원들이 월급을 주고 아이들은 우리 반 은행에 저금하면 학급 보상 황금알이 저축 금액에 따라 많아져요. 1학기부터 황금알 100개 단위로 학급 보상을 줬는데 지난주에 황금알 300개가 되어 학급 보상을 받게 되었어요. 100개째는 피구, 200개째에는 과자 파티, 300개에는 컵라면 파티를 원하길래 기꺼이 아이들이 원하는 걸 들어줬어요. 개인의 월급에서 그치는 것이 아니라 함께 하는 경험의 소중함을 느낄 수 있게 마련한 이벤트인데 아이들이 너무 행복해하니 저도 기분이 좋았어요. 사실… 컵라면 뒤처리가 무척 걱정되었는데 직업놀이로 쌓인 바른 인성으로 뒷마무리까지 깔끔하게 하는 예쁜이들의 모습에 또 감동했지요. 코로나로 많은 배움의 기회를 잃어버렸던 아이들이라 어떤 활동이든 너무 즐겁게 참여하는데 컵라면 파티도 너무너무 좋아하네요.

▲아이들이 함께 정하는 학급 보상 - 컵라면 파티

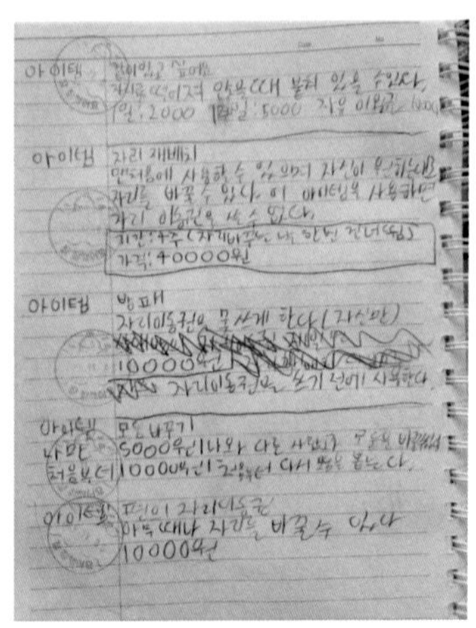

▲아이템 개발자) 자리 바꾸기와 관련된 아이템 아이디어들

3. 창의력 통통! 아이템 개발자

월급을 받으면 아이들이 제일 먼저 하는 일이 간식을 사거나 아이템을 사는 건데, 학급운영비를 먹성 좋은 아이들 덕분에 벌써 다 써버려서 간식을 사지 못하고 있어요. 그래서 아이들은 2주마다 바꾸는 자리와 관련된 아이템을 많이 사는데 아이템 개발자가 이와 관련해서 열심히 일을 하고 있네요. 6학년 부장인 제가 너무 바빠서 아이템 개발 일지에 도장만 찍어주고 아이템 출력을 못 하고 있어요. 내년에나 쓸 수 있을는지…. 아이템 개발자의 아이디어가 녹아있는 사랑스러운 글씨를 보면 입가에 미소가 번지네요.

4. 자율적 활동 그리고 새로운 직업

왁자지껄 교실 안에서 아이들이 신나게 모여 있습니다. 제일에 몰두하다 퇴근 무렵 아이들이 교실 곳곳에 붙여둔 홍보 포스터를 보고 아이들이 너무 사랑스러웠어요.

▲홍보팀) 이젠 스스로 즐기는 아이들

디자이너, 홍보팀, 연예인 친구들의 합작품! 다음 날 공연은 잘 했냐고 물으니, 반응이 너무 좋아서 재공연한다는 말에 또 빵 터졌어요. 자율적으로 즐기는 직업놀이! 저의 궁극적인 목표인데 조금씩 다가가는 것 같아 너무 신기하고 뿌듯했어요. 항상 즐겁고 역동적인 모습의 활기찬 우리 반입니다.

최근에는 학급 문집을 6학년 국어 고쳐쓰기 단원과 연계하여 준비하고 있는데 도저히 저 혼자는 완성하지 못할 것 같아서 출판사 직원을 하나 만들자고 제가 제안했어요. 함께 하겠다는 친구들이 많아 너무 든든해요. 교육청에서 보급한 노트북을 이용해서 아침활동, 국어 시간을 이용해서 문집 편집 중인데 노트북 정리는 컴퓨터 전문가 친구들이 척척 해주고 꼬마 선생님들이 도움이 필요한 친구들을 기쁜 마음으로 도와준답니다. 다음 주에 디자이너들에게 새로운 직업 카드를 의뢰하려고 합니다. 직업놀이를 하지 않았다면 경험하지 못했을 일들 덕분에 저와 아이들은 매일매일 즐겁고 따뜻한 교실에서 행복하게 지내고 있답니다.

5. 마지막 생일파티

12월의 시작을 마지막 생일파티로 했답니다. 12월, 1월 생일인 친구들에게 첫 생일파티 할 때와 똑같이 칠판을 예쁘게 꾸미고 편지를 써 주고 선물을 주고 고깔을 씌워 주고 생일 축하 노래도 불러주고, 생일 축하 풍선도 달아 주고, 깨끗하게 정리하는 것까지 파티플래너 친구들이 완벽하게 해냅니다. 저 혼자였다면 결코 이렇게 정성스러운 생일파티를 끝까지 해주지 못했을 거예요. 야무지고 똑똑한 파티플래너들 덕분에 모두가 행복한 마지막 생일파티를 할 수 있었어요.

▲파티플래너) 마지막 생일파티

6. 훈장 수여식

자율 학급의 꽃인 학급 자치가 정말 아름답게 열매 맺었어요. 학급 헌법이 공표되는 날, 자율 학급이 꽃을 활짝 피운 느낌이었는데 반의장을 비롯한 반의원, 디자이너 친구들이 절 감동하게 만들며 행복한 직업놀이를 열매 맺었네요. 12월 초부터 반의장을 중심으로 디자이너들이 훈장 디자인을 시작으로 열심히 만들고, 오리고, 그리고, 붙이고 그러더니 우리 반 친구들 모두에게 줄 수 있는 훈장을 완성했어요. 이렇게 예쁘게 6학년 마지막 달을 보내고 있는 아이들을 맘껏 칭찬해 줄 여유도 없이 바쁜 6학년 부장이라는 직책이 원망스러울 정도였어요.

졸업을 하루 앞둔 1월 4일 전 감동적인 순간을 목격했답니다. 반의원들이 훈장과 함께 모든 학급 친구에게 만들어 준 우리만의 '상장'!!! 아이들이 너무 사랑스럽고 예뻤어요. 전 오히려 아이들이 너무 힘들게 준비하는 것 같아서 하지 말라고 했는데…. 사실 훈장 수여식이 가능할지 의심까지 했는데 너무도 뭉클하고 너무도 감동적인 시간이었어요. 심지어 상장이라고 하는 것도 A4용지를 대충 잘라 만든 것인데도 우리 반 아이들은 상장을 받아 들고 너무 좋아했어요. 선생님이 해 줘야 할 일을 대신 해준 멋진 반의원과 디자이너들이 너무너무 기특했어요.

▲반의원) 훈장 수여식

▲반의원) 아이들이 뽑은 선행훈장 수상자들

7. 직업놀이로 행복한 열매 맺음! 학급 문집 발간

학년 부장으로서 불가능하다고 생각했던 일들이 직업놀이로 가능했답니다. 작년에 이어 학급 문집을 발간했어요. 아이들과 함께 2학기 내내 아침 활동 시간에 교육청 보급 노트북을 이용한 아침 글쓰기 글들, 그리고 미술 시간에 했던 미술 작품 경매에서 낙찰된 아이들의 그림들, 그리고 디자이너가 그린 사랑스러운 우리 반 친구들의 모습, 첫눈 오는 날, 체험학습 후에 쓴 소감문들을 엮어서 학급 문집을 발간했어요.

12월 내내 편집에 매달렸는데 학급 출판사 직원들의 도움이 아니었다면, 컴퓨터 전문가의 도움이 아니었다면 정말 불가능했을 거예요. 문집이 나온 날 느꼈던 그 뿌듯함. 그리고 문집을 아이들이 받아 들고 쥐 죽은 듯 고요한 교실로 만든 그 순간이 잊지 못할 소중한 추억으로 남았어요.

▲자율 학급의 값진 열매)
함께 만든 학급 문집

1년을 마무리하며

24년 1월 12일 금요일은 6학년 중학교 배정통지서를 나눠주는 날이었습니다. 일주일 전에 졸업식은 했지만, 실질적인 6학년 마무리는 오늘이지요. 아이들을 중학교에 데려다주고 나오니 아이들과 함께했던 1년이 필름처럼 스쳐 지나갔어요. 직업놀이 2년 차, 직업놀이를 하기 전에는 아이들과 함께하는 마지막 날이면 뭔가 모를 허전함에 좋지 않은 기분으로 방학을 맞이했던 것 같은데 직업놀이와 함께했던 작년과 올해는 허전함보다는 보람이, 뿌듯함이 더 컸어요.

사실…. 20년이 훌쩍 넘은 교직 기간에 처음 느껴보는 충만함 가득한 마지막이 너무 이상하게 느껴졌어요. 제가 작년에 느낀 충만한 감정은 바로 직업놀이 덕분임을 확신했어요. 저도, 아이들도 직업놀이에 흠뻑 빠진 1년을 보내며 마음껏 사랑하고 마음껏 아껴주고 마음껏 행복해하며 즐겁게 지냈거든요. 그래서인지 저는 아이들을 보내는 오늘 아쉬움보다는 작년에 느꼈던 보람과 행복함이 가득했어요. 몇몇 아이들은 마지막을 아쉬워하고 중입 배정통지서 나오는 날 마음 뭉클하게 하는 문자도 보내주고 중학교 정문에서 저와의 헤어짐에 아쉬워 제가 등을 떠밀 때까지 제 옆에 서 있기도 했어요. 또한 너무도 감사하게도 학부모님들의 따뜻한 문자와 편지에 눈물을 흘리기도 했어요.

사람과 사람이 만나는 학교 현장에서 서로 상처받기도 하지만 따뜻한 관심과 애정 어린 마음 나눔으로 함께 성장하는 기적적인 장면을 목격하기도 하지요. 2023년은 교직 현장에서 일어난 가슴 아픈 일들로 선생님들에게는 무척 힘든 한 해였던 것 같아요. 저 또한 꽃같이 예쁜 어린 선생님의 허망한 죽음을 뉴스를 통해 접하고 힘든 학부모와 학생 때문에 힘들어하시다 휴직하시는 동료 교사를 보면서 마음이 무겁고 아주 힘든 시간을 보냈습니다. 하지만 한 해를 마무리하는 지금 지난 시간을 돌아보니 날 교사로서 존재하게 만들어 주는 아이들, 학부모님들로부터 위안과 용기를 얻기도 한 해였습니다. 이 모든 일이 직업놀이 덕분임을 작년처럼 이번 해에도 확실히 느끼고 있습니다. 내년에도 새롭게 만날 아이들과 함께 서로에게 힘과 용기를 줄 수 있는 직업놀이를 하며 함께 성장하는 시간을 꿈꿔 봅니다.

안녕하세요
샘 졸업식때 얼굴 못 뵈고 왔네요
아무리 찾아도 선생님을 만날수
없어서
안타까웠습니다.
1년동안 고생 많으셨습니다.
손많이가는 요즘 아이들 말도
이쁘게 하지 않고
그렇다고 학부모님들도 간혹가다
(괴짜) 이해할수 없는 분들도
계시니 정말 요즘 선생님들이 너무
힘들거 같아요~~정말 무사히
1년동안 고생많으셨어요~~~
항상 감사하고 또 감사합니다

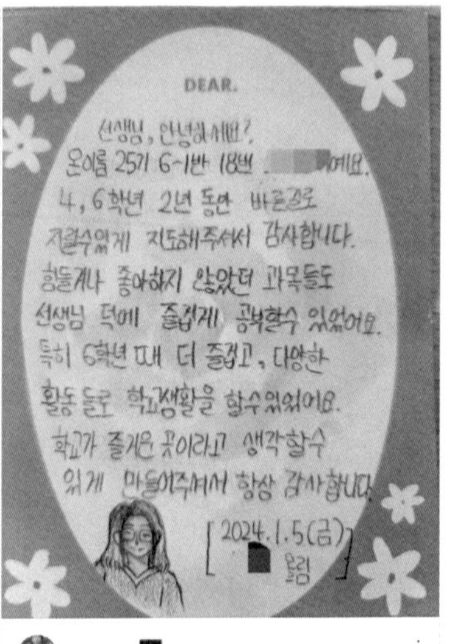
DEAR.

선생님, 안녕하세요?
온이름 25기 6-1반 18번 [ ]예요.
4, 6학년 2년 동안 바른길로
자랄수있게 지도해주셔서 감사합니다.
힘들거나 좋아하지 않았던 과목들도
선생님 덕에 즐겁게 공부할수 있었어요.
특히 6학년 때 더 즐겁고, 다양한
활동 들로 학교생활을 할수있었어요.
학교가 즐거운 곳이라고 생각할수
있게 만들어주셔서 항상 감사합니다.
[2024. 1. 5(금)
[ ] 올림]

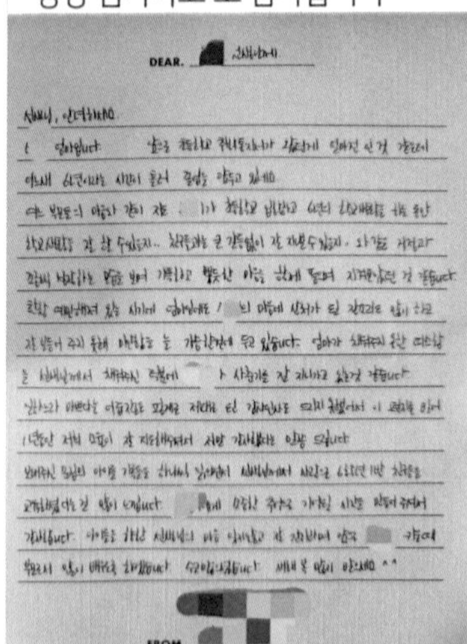
DEAR.

FROM.

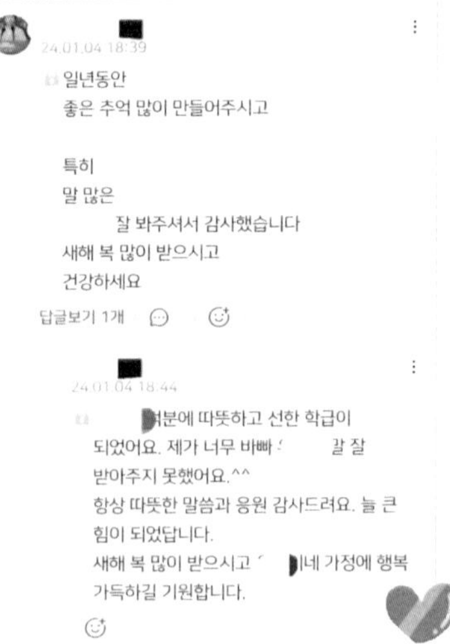
24.01.04 18:39
일년동안
좋은 추억 많이 만들어주시고

특히
말 많은
잘 봐주셔서 감사했습니다
새해 복 많이 받으시고
건강하세요

답글보기 1개

24.01.04 18:44
분에 따뜻하고 선한 학급이
되었어요. 제가 너무 바빠 잘 잘
받아주지 못했어요.^^
항상 따뜻한 말씀과 응원 감사드려요. 늘 큰
힘이 되었답니다.
새해 복 많이 받으시고 네 가정에 행복
가득하길 기원합니다.

제17화

직업놀이 교실의 이모저모

직업놀이 3년 차 교실 이야기

솔바람샘, 전북, 5년 차

직업놀이 첫 소개

3월 13일, 드디어 직업놀이를 소개했습니다! 아이들이 5교시 창체 시간에는 뭐하냐고 종알종알 물어봤는데 입 꾹 닫고 안 알려주다가 5교시에 짜잔-하고

"다음 주부터 우리 반은 완전 새로운 체제로 돌아간다!
이제까지는 맛보기였던 거야."

라는 말을 비장하게 하며 첫 소개를 했습니다. 직업놀이 소개 PPT를 보여주며 설명했는데, 아이들은 직업놀이가 무엇인지도 모르면서 일단 '놀이'가 붙어있으니 좋아했습니다.

이미 점심시간엔 낭번을 이용하여 음악도 틀고 있었고, 피아노도

연주하고 있었으며, 시키지 않았는데도 디자이너 일을 알아서 하여 과목 시간표도 만들고 있었기에 너희가 하는 이런 일들을 좀 더 적극적으로 할 수 있다는 것을 어필했어요. 누구나 좋아할 것 같은 음악 DJ 일도 점심시간에 나가서 피구하는 걸 좋아하는 아이들에게는 고역이었거든요.

올해는 5학년을 하게 되었는데 아무래도 고학년이긴 하지만 6학년과는 결이 다른…. 4학년 같은 모멘트가 있습니다. 이번에는 작년과 달리 월급에 대해서 언급하지 않았습니다. 은행원 직업도 넣지 않았고, 소비에 관련된 직업도 넣지 않았습니다. 바리스타나 뽑기 기계는 좀 더 활성화가 되고, 도움이 필요한 아이들에게 슬쩍 줘보려고요. 그래도 저희 반에는 엄청난 함묵증은 없어서(소심해서 발표를 스스로 못 하는 아이는 있어도) 일단은 이렇게 진행해 보려고 합니다. 고학년이긴 해도 아직 6학년까진 아니라 그런지 "월급은 없어요?"하고 묻는 아이들도 없이, 그저 즐겁게 신청서에 신청하더랍니다.

단지 작년에는 학급 보상(자유시간이나 영화 보기, 초콜릿 가루타 먹기 같은)을 월급을 통해서 받아 갔는데 이번에는 어떻게 보상을 줘야 할지 좀 더 생각해 봐야겠습니다. 가끔 자유시간도 해줘야 자유시간 기획자가 즐거운 게임도 만들어 오고, 그래야 100일 파티도 순조롭게 진행될 텐데 말이에요.

학기 초에 '소원을 말해봐' 활동을 해서 아이들이 이번 1년 동안 어떤 걸 하고 싶은지 소원 리스트를 받았는데요. 리스트에 있는 내용이 대부분 영화 보기, 과자 파티하기, 자유시간 하기, 이런 것들이라서 우리가 만난 지 100일째 되는 날에 한다고 해놨는데(벌써 칠판에 소원 이루어지는 날 86일 남음. 이런 거 쓰여 있음….), 그 파티도 선생님이 만드는 게 아니라 너희가 직업놀이 하면서 준비하는 거라고 하니 어찌나 눈이 반짝거리던지!

직업 신청을 받아보니 식물관리사가 의외로 인기가 많았습니다. 식물관리사를 하고 싶은 친구들이 있다면 선생님이 식물을 사서 우리 반에 두겠다고 말하니 신청한 아이들이 해바라기를 키우고 싶다느니, 완두콩을 키우고 싶다느니…. 하고 싶은 말이 재잘재잘~ 식물 키우는 걸 이렇게 좋아할 줄은 몰랐네요. 저는 뭐 키우는 데는 영 소질이 없어서 작년엔 안 했는데 올해는 해봐야겠어요.

1인에 2개까지만 지원할 수 있어서 '당연히 환경지킴이는 없겠다….'싶었는데 웬걸. 2명이나 신청해 줬지, 뭐예요??? 직업 소개할 때 "이 직업은 인기가 없을 수도 있어~"라며 운을 띄웠던 게 효과가 있었을까요? 물론 그 친구가 내일 와서 고민하다 바꿀 수도 있지만…. 마음이라도 먹어준 친구들이 있다는 게 얼마나 다행일까요.

작년에는 변리사 직업이 흐지부지되어서 이번에 변리사를 소개할 때는 따지는 걸 좋아하고 생각하는 걸 좋아하는 친구들이 하면 좋겠다고 했더니, 신청을 꽤 많이 해서 변리사가 할 일을 처음에 물꼬를 잘 터줘야겠다고 생각했습니다.

작년 6학년 친구들은 목요일에 안내하고 신청받았어도 금요일에 바꾸는 친구들은 없었는데, 오늘 집에 가기 전에 "내일 바꿔도 돼요?" 물어보는 친구들이 있는 걸 보면 아직 마음이 갈팡질팡할 때인가 봐요!

올해도 어김없이 "신청 안 해도 돼요?"라고 물어보는 친구가 있어서 일단은 오늘은 안 해도 되고 고민해 보고 내일 해보자~ 했습니다. 그 아이는 평소에 활발하고 축구를 열심히 하는 친구인데 신청을 안 한다고 해서 의아했지만(직업놀이가 필요 없을 만큼 학교생활을 잘하고 자존감이 높은 아이여서 그럴 수도 있습니다.) 일단은 지켜보는 거로! 친구들 하는 거 보면 하고 싶어질 수도 있지요. 아직 신청을 못 한 친구들이 1개라도 신청할 수 있도록 말 걸어 주고 도와줘 봐야겠습니다!

3년쯤 해도 나오는 시행착오

인턴 기간을 시작했는데 작년에는 없던 식물관리사를 하겠다는 친구들이 생겨서 화분이랑 흙이랑 씨앗이랑 신청한 아이들 수만큼 계산해서 사 갔습니다. 그런데 새로운 물건을 보고 눈 돌아간 친구들이 너도나도 식물관리사를 하겠다고 덤비는 바람에 처음부터 식물관리사를 신청해 놓고 기대하고 있었던 친구가 아무것도 하지 못하고 속상해서 울어버리고 말았습니다.

아니 얘들아. 원래 3명밖에 신청 안 했잖아. 왜 갑자기 9명쯤이 돼버리는 건데? 아무리 인턴 기간이라도 바로 바꾸게 하지 않고,

내일부터 하게끔 해야 했나 봐요. 이렇게 또 배워갑니다. 속상했던 그 아이의 마음을 달래고, "선생님이 내일 꼭 화분이랑 씨앗이랑 또 사 올게." 말했습니다. 아이들에게는 식물 심는 것보다 잘 자라게 관리하는 일이 더 중요하다고, 식물관리사는 그런 일이라고 말해주며 하루를 마무리했습니다.

하필이면 그 일을 6교시에 군인 친구들이랑 교실 배치 좀 옮기면서 하느라고 저도 정신없고 애들도 정신없고 우왕좌왕…. 난리였어요. 하지만 금방 나아질 겁니다.

▲식물관리사들이 처음 심은 식물

올해는 작년에 못 했던 직업들에 조금 더 신경 쓰기

작년에 변리사 직업이 파티할 때만 반짝하고 소홀했던 것 같아서 이번에는 변리사 직업을 소개할 때 아주 멋진 '생각하는 직업'이라고 설명을 많이 했는데, 생각하는 걸 좋아하는 적극적인 친구들이 변리사를 신청해 주었습니다.

오늘 변리사가 "제가 오늘 할 수 있는 건 뭘까요?" 해서

"일단 친구들의 의견을 받아야겠지? 그러려면 뭐가 필요할까?" 되물었더니

"종이!" 해서 종이에 이름 쓰는 칸과 의견 쓰는 칸을 그려왔습니다.

"삐뚤삐뚤해도 돼요?"

"당연하지~"

표를 와서 내밀었는데, 여기에 예시가 있어야 친구들이 쓸 수 있을 것 같아서

"의견으로 낼 좋은 예시를 적어주면 친구들이 더 잘 쓸 수 있을 것 같은데" 하니 아주 멋진 예시를 적어서 칠판 관리사의 허락을 받고 칠판에 부착해 주었습니다.

▲변리사의 첫 일

아이들에게 1교시 시작 전에 소개하고, 아이들이 아침부터 마니또 이야기를 하길래

"그 의견도 변리사 의견 칸에 적어주면 되겠다~"하니 그 의견도 적었어요~ 사진은 좀 일찍 찍은 거라 없지만! 그 와중에…. 예시로 적은 의견에 답이라도 하듯이 우리 반 누군가가 뒷문에 문을

닫아주라는 것을 손수 만들어서 붙여주었습니다. 이렇게 소리소문 없이! 선생님께 자랑도 안 하고! 그럼 어쩔 수 없이 선생님이 동네방네 소문내줘야지~ 그래서 예전에 붙어있던 작년 선배들이 붙였던 걸 떼고 그것만 예쁘게 달아 주었습니다.

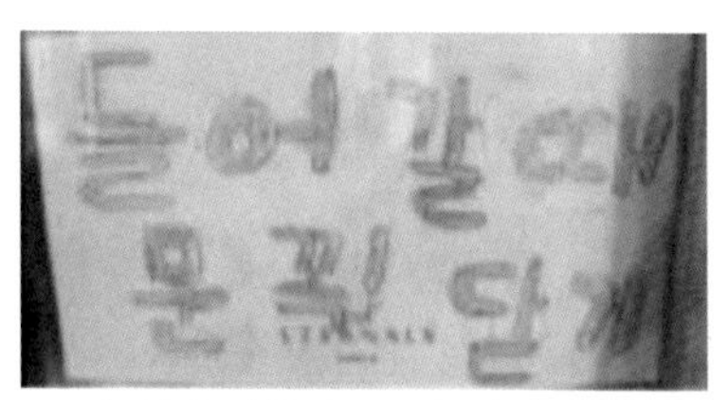

▲누군가 만들어 준 문 닫기 표지판

직업놀이를 안 해본 아이들은 '자율'을 몰라서 처음엔 스스로 하지 못하지만, 옆에서 알려주고 도움을 주다 보면 '이렇게 하면 되는 거구나!' 스스로 깨달아서 나중엔 교사가 생각하는 것보다 멋진 성취를 만들어내기도 합니다. 아이들이 자율적으로 잘 컸으면 좋겠습니다.^^ 즐겁게요!

올해 첫 왕관!

우리 반의 하나뿐인 디자이너가(올핸 이상하게 디자이너가 한 명이네요.) 만들어 준 첫 왕관입니다! 아무래도 왕관이라는 것의 이미지가 이렇다 보니 이런 모양이 된 것 같아요~

아이들에게 보여줄 겸 자랑도 할 겸 6교시 내내 쓰고 수업했더니 애늘이 그게 뭐냐며…. 관심 보이더라고요. 금요일 1교시 시작

전에 인성왕을 뽑아서 줄 거다! 했더니 또 웅성웅성~

뭔가 벌써 '나는 아니겠지….' 포기하는 친구들이 있는데 꼭 뭐든 잘해야 받는 건 아님을 알려줘야겠어요! 그래도 첫 왕관은 친구들에게 친절하고 상냥한 친구를 줘서 그 행동이 귀감이 되게끔 해야겠어요!

디자이너가 왕관을 하나 만들 때 하나 더 만들어 줄 수 있나 부탁했더니 5교시밖에 안 하는 짧은 목요일 안에 2개를 더 만들어서 얼결에 3명 인성왕을 주기로 하였습니다. 그래서 아침에 부랴부랴 교무실에서 인성왕 상장을 뽑고 금요일 1교시 미술 시작하기 전에 아이들이 한 일을 구체적으로 말하며 인성왕을 뽑았습니다.

남자아이들은 왜 다 여자냐며 볼멘소리하였지만, 정말 정말 우연으로….^^ 된 것이기 때문에 "다음 주에는 남자친구들만 될 수도 있겠죠~" 했더니, 다음엔 내가 될 거라며 의욕을 보이던 남자아이도 있었습니다.

이번 주에는 우리 반 상냥한 마음씨들을 가진 여학생들이 됐는데, 다음 주에는 세워주고 싶은 아이들을 세워줄 수 있으면 좋겠습니다.

▲우리 반 첫 인성왕 왕관 ▲첫 인성왕 3명

월급 없이 자율의 힘으로 채워지는 교실

직업놀이를 약 3년 차쯤 하고 있지만 월급 없이 하는 건 처음이라 올해도 처음 시도하는 느낌인데요, 월급이 없으면 없을수록 아이들의 자율성은 칭찬해주고 싶을 만큼 엄청납니다.

▲디자이너 친구가 그려준 친구 초상화

저희 반에 독감으로 안 온 친구가 있는데, 그 두 친구가 없어서 허전했는지 디자이너 한 명이 해당 친구들 얼굴을 그려 자리에 붙여놓았어요! 없어도 있는 것 같이…. 같이 있는 느낌을 내고 싶었나 봐요. 직업놀이 하면서 이런 일은 또 처음이라 잽싸게 사진을 찍었습니다.

이 친구는 내일 저희 반과 다른 반이 피구 리그전을 하는데, 응원용 봉이 필요하지 않냐며 응원봉까지 이쁘게 만들었습니다.

여자애 2명이 안 와서 갑자기 혼자가 돼버린 한 여자아이. 주로 그 2명의 친구와 잘 놀았었는데, 오늘은 둘 다 안 와서 친구가 없다고 우울해하길래 점심시간에 같이 반으로 올라가며 "뭐 하는 거 좋아해~?"했더니 그림 그리는 거 좋아한다고…! 그래서 옳다구나 싶어서 잽싸게 데리고 가서 디자이너들과 우리 반 급훈을 만들게 하였습니다. 이게 바로 직업놀이의 힘이죠. 내가 친하지 않아서 어울릴 수 없을 때 같이 달성해야 하는 공통의 목표로 묶어주는 것. 자연스럽게 묶어줘서 나중에도 관계가 지속되기 좋아요!

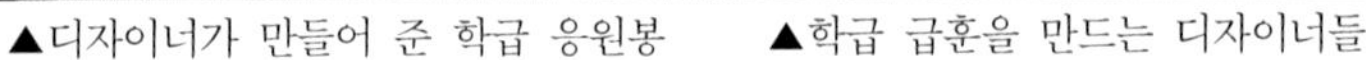

▲디자이너가 만들어 준 학급 응원봉 ▲학급 급훈을 만드는 디자이너들

우리 반 엔지니어는 고민함을 만들어 주었습니다. 아직 완성은 덜 되긴 했는데, 평소 뭘 만들기 좋아하는 이 아이는 집에 거대한 테이프가 많다고 해요. 고민함을 만들어 주라고 부탁했는데, 집에 있는 테이프를 가져오면 만들 수 있다고 해서 가져올 수 있겠냐~ 했더니 정말로 오늘 가져와 버린 엔지니어!! 글루건으로 붙이고 가위로 자르고 테이프로 칭칭 감고…. 엉성하지만, 아이의 생각이 듬뿍 담긴 고민함이라 이제 꾸미는 건 디자이너들에게 맡겨 봐야겠어요. 오늘도 직업놀이 덕에 행복한 일들이 늘어갑니다.

▲엔지니어가 열심히
테이프로 휘감아 준 고민함

헤어디자이너 직업이 생긴 첫 주에는 아이들이 주말에 다○소에서 이것저것 사 오더니(내가 사주려고 했는데...) 헤어디자이너 명함도 만들고, 거울이랑 머리끈도 장식해 놓았습니다.

저도 낮은 말총머리를 부탁해 보았습니다. 아이들끼리 신청표를 작성해서 순서대로 해주면 좋겠다고 생각해서 신청표 틀을 그려주었습니다.

▲헤어디자이너가 만든 명함 ▲헤어디자인 신청표

그 와중에 변리사의 직업이 잘 안 되고 있길래 '파티플래너랑 살짝 묶어서 해볼까'하고 변리사를 신청했다 취소하려고 했던 아이를 불러서 아이들이 요청했던 '마니또' 활동을 어떻게 해볼지 고민했습니다. 이것저것 아이디어를 내놓고 섬세하게 무엇을 하면 좋을지를 의논했습니다. 의논한 다음 날 변리사 아이는 마니또 홍보지를 만들었습니다. 5월에 해야 할 행사가 생겨버렸네요~

예술가 직업이 생긴 직후 처음 만화를 그려준 만화가 친구! A4 스탠드 받침을 이용해서 만화를 게시해 주었습니다. 읽어봤더니 재밌더라고요. 다음 편이 나올 수 있게끔 많은 독려를 해줘야겠습니다.

▲변리사가 만든 마니또 행사 홍보지 ▲만화가가 그린 첫 만화

디자이너들과 점심시간에 조금씩 완성하던 우리 반 슬로건이 드디어 완성되었습니다! 이 활동하면서 서로 그림 취미가 맞는 친구들끼리 붙어있게도 해주고, 우리 반 특수친구에게 친구도 만들어주어서 뿌듯합니다. 이런 활동을 하고 꼭 고맙다고 말해주며 학급 전체에게 일깨워 주는 것이 아주 중요합니다. 우리 반의 많은 부분들이 아이들 손길 하나하나로 완성된다는 걸 말로 해주어야 아이들은 알더라고요.

▲디자이너들이 협동하여 만든 우리 반 슬로건

서해수호의 날인가, 공문이 왔길래 아이들이랑 나라 사랑 겸 참여했더니 그립톡을 많이 주셨습니다. 그립톡의 이미지가 나라 사랑 이미지라 썩 이쁘진 않았지만, 아이들 1개씩 나눠주고도 많이 남아서 아이들 거의 1인당 2개씩 가졌는데 디자이너 하고 있던 아이가 무언가를 만들더니 그립톡에 자기가 좋아하는 캐릭터 스티커를 가지고 꾸며서 전혀 다른 그립톡 디자인을 하고 있었습니다.

아, 이런 건 또 놓칠 수 없지~ 바로 폭풍 칭찬해 주고 점심시간에 "○○이가 만든 거 정말 멋진데, 친구들한테 신청받아 보는 게 어때?" 운을 띄웠더니 홍보지를 만들겠다고 종이를 하나 가져가서 홍보지를 만들더니…. 점심시간 끝날 때쯤 와보니 벌써 신청한 사람이 그득그득! 남녀 할 것 없이 신청해서 제가 더 기뻤습니다. 우리 디자이너…. 이렇게 일하면서 마음속 깊이 충만감을 느끼고 있겠죠?

(그립톡을 아주 많이 나눠주신 보훈청에 감사드리며…. 15번 친구는 눈감아주세요…. 돌멩이 친구인데 어느 곳이나 이렇게 하고 다닌답니다.)

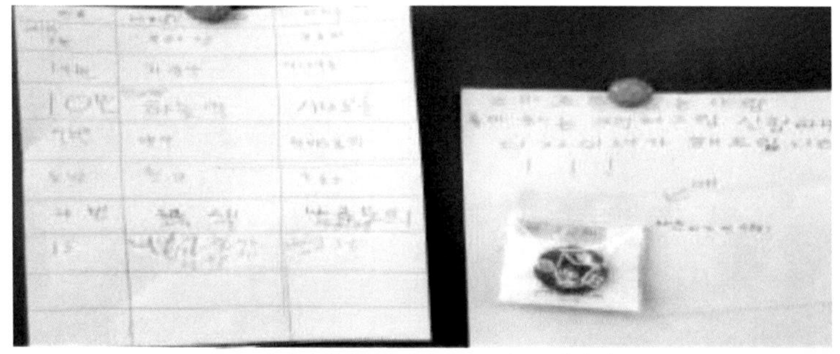

▲디자이너가 신청받은 그립톡 디자인

학교 끝났는데 두 친구가 심심하다고 청소하겠다며 남더니(이게 다 인성왕의 여파입니다. 간혹 청소해 준 친구를 인성왕 해주면 '혹시 나에게도?' 하며 청소를 괜스레 열심히 합니다.) 쓱싹쓱싹 청소를 다 하고선, 한 친구는 그래도 심심하다고 하길래 저번에 시인 신청해 놓고 시를 쓰지 않았기에, "그럼 시를 써보면 어때?" 했더니 앉은 자리에서 시 한 편을 뚝딱! 마음이 따뜻한 친구라 따뜻한 시 한 편을 써주었네요.

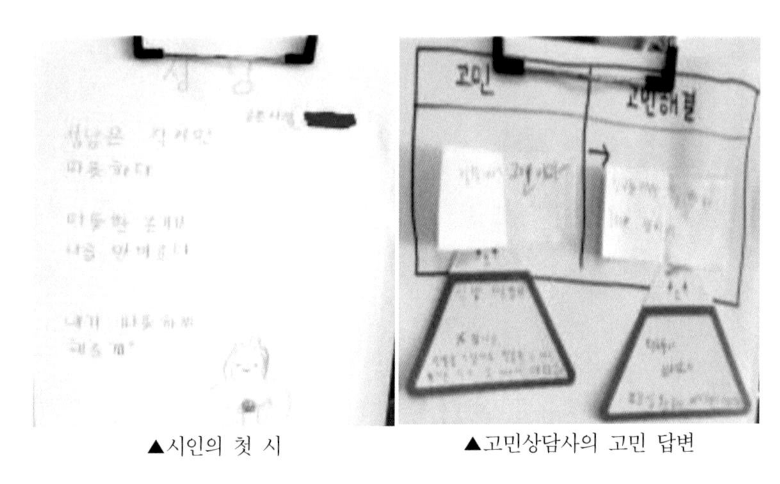

▲시인의 첫 시 ▲고민상담사의 고민 답변

시인 친구는 고민 상담사로도 활동하고 있는데요, 아이들이 알게 모르게 쓴 고민에 답변을 해주기도 합니다. 뜻밖의 비속어에도 당황하지 않고 답변을 써준 고민 상담사. 화가 많은 아이들이 많은 저희 학군에서라도 직업놀이와 함께라면 따뜻한 학급을 만들어 갈 수 있어요!

이전 만화가의 활동을 보더니 만화가 활동에 뛰어든 또 다른 친구! 첫 번째 친구가 스토리 형식이었다면, 이번 친구는 옴니버스 형식인데요. 음식을 소재로 만화를 그린 점이 참 재미있습니다.

▲만화가가 제작한 만화

헤어디자이너와 이야기하다가, 남학생들은 머리카락이 짧아서 사과머리 스타일밖에 못 한다는 말을 듣고 생각난 아이디어가 있었습니다. '머리카락을 사주면 남자아이도 긴 머리 스타일을 할 수 있지 않을까?' 그래서 아이에게 "머리카락을 사줄까?" 했더니 "오~네!"해서 다○소를 뒤졌습니다.

다○소에는 수많은 머리카락이 있었지만, 붙임머리 핀 스타일이라 아이들에게는 조금 어렵고 버거울 것 같고 대신 아주 재밌고 발랄해 보이는 집게형 머리카락을 발견했습니다…! 냅다 몇 가닥 결제! 아이들 스타일의 튀는 머리핀도 결제! (아이들이 말이 5학년이지, 아직 뛰고 싶어 하는 4학년이라 이 정도 수준을 아주 좋아해요.) 그리고 영양제를 부탁했던 식물관리사의 말도 클리어!

▲다○소에서 산 헤어용품

아침에 신상품 도착했다며 아이들에게 알려주니 바로바로 새 머리 스타일을 해보는 아이들 덕에 저도 뿌듯, 헤어디자이너도 뿌듯!

교실 안에 놀이공간 만들기

작년에는 교실에 카페 공간 만들었다가 은근히 교실 공간을 많이 잡아먹고 약간 번거롭기도 해서, '올해는 안 하고 그냥 매트만 깔아놔야겠다~' 하다가 다른 학년 교실 우연히 갔다가 교실 뒷공간을 사물함으로 막아 만들어놨길래 '왜 이 생각을 못 했지!' 하고 바로 실행에 옮겼습니다.

▲교실 뒤쪽 놀이공간

▲놀이공간 안의 모습

그 반은 입식 테이블을 놓았지만, 저는 좌식 테이블을 어디서 얻어놨었던 관계로 매트만 새로 사서 깔았습니다. 매트 크기가 땅에 딱 맞지 않아도 접어지니까 어느 정도 양옆으로 올릴 수 있어서 참 좋은 것 같아요~ 며칠 안 됐는데, 아이들의 가장 좋아하는 공간이 되었습니다.

쉬는 시간이고 점심시간이고 하교 후에도 뒹굴뒹굴하기도 하고 보드게임 하기도 하는데, 사물함으로 시야를 좀 막아놔서 그런지 애들이 좀 어지럽게 하고 놀아도…. 교사 시선에 안 보이니 전체적으로 교실이 깔끔해 보이긴 합니다. ㅎㅎ

사물함 위 공간에는 뽑기 기계와 작가들의 작품들을 예쁘게 전시해 두었습니다. 이 공간을 내일 만들겠다고 예고했는데, 돌멩이 친구가 하교 후에 바로 만들자고 의욕을 뿜뿜거려서 "그래….^^" 하고 만들었는데 예쁘게 착착 정리해 주는 모습이 너무 이뻤습니다. 점심시간에 다른 친구와 갈등을 3건씩 일으키긴 해도…. 하고 싶은 것은 도맡아서 도와주는 모습을 보면 참 좋아요.

▲사물함 위에 게시된
만화가 작품들과 뽑기 기계

또 한 해의 직업놀이를 마무리하며

직업놀이를 3년 차 해 오지만 정말 절실하게 느낀 점은 '매해 다르다.'라는 것입니다. 매해 저는 비슷하지만, 교실을 이루는 가장 큰 주체인 아이들이 매번 달라지기 때문에 교실도 직업놀이 양상도 매해 달라질 수밖에 없는 것 같습니다. 그래서 많은 교사가 매해 3월이 되면 적잖은 두려움이 있을 것입니다. 저도 그랬고요.

하지만 지금은 두려움보다는 기대감, 새로움이 더 앞섭니다. 올해는 어떤 친구들을 만날까? 내가 어떤 방법으로 도와줄 수 있을까? 하는 생각들로 방학을 보내게 되었습니다. 2024년에는 정들었던 초임학교를 뒤에 두고 완전히 새로운 지역, 새로운 학교에 가게 되는데 그것마저도 설렙니다. 어떤 새로운 환경과 아이들을 마주하여 어떤 직업놀이를 펼칠 수 있을까 기대됩니다. 어려움이 생겼을 때 해결 방법을 몰랐던 예전의 저는 3월이 두려움으로만 다가왔지만, 직업놀이라는 방법을 아는 지금의 저는 3월이 기대됩니다.

2024년도 당연하듯, 직업놀이와 함께할 겁니다. 많은 교사가 직업놀이를 하면서 교사의 마음도, 아이들의 마음도 같이 좋아질 수 있었으면 좋겠습니다. 2024년에는 더 많은 교사를 직업놀이에서 만날 수 있기를 소망합니다.

꿈과 자존감을 키우는 행복한 학급 운영

PART 3

교실 환경 구성 및 추천물품

6학년 직업놀이 교실 환경 및 물품 소개 1

[교실 측면]
학급 도서관에 라벨링 한 번호순으로
책을 정리하고 있는 사서 선생님

[교실 앞편]
학급 홍보용 보드

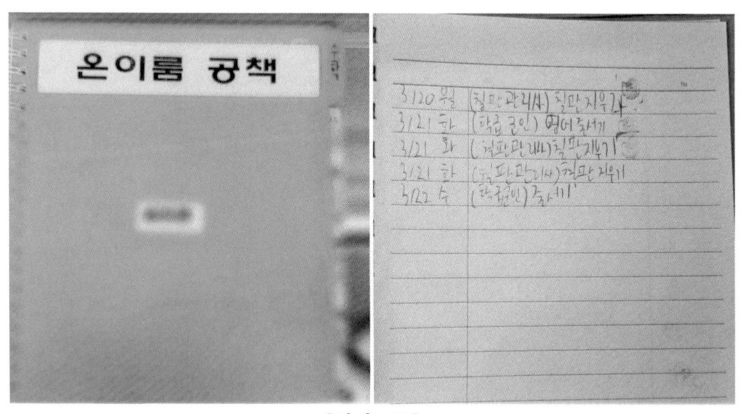

[멀티노트]
직업놀이에 다양하게 활용되는 멀티노트(ex. 일 통장 등)

6학년 직업놀이 교실 환경 및 물품 소개 2

[직업놀이 명함]
세워두는 케이스 형식으로 활용함

[직업놀이 명찰]
목걸이형으로 활용함.

[직업놀이 명찰 만들기]
교사는 규격과 틀만 알려줌, 아이들이
직접 명함과 명찰을 직접 만드는 모습

[직업놀이 아이템]
아이템 포켓을 활용하여
상점으로 운영함

6학년 직업놀이 교실 환경 및 물품 소개 3

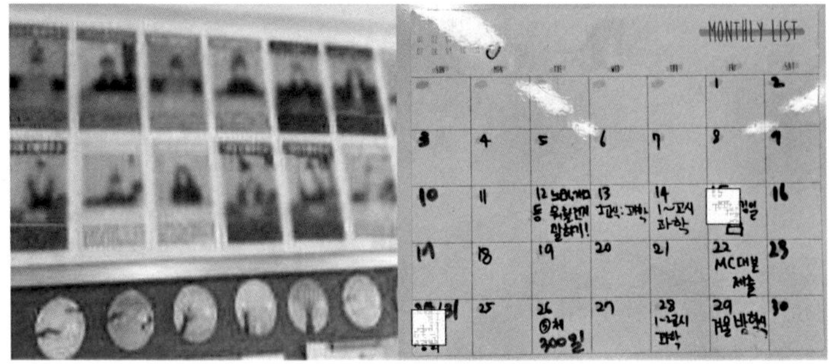

[인성왕 포스터]
각 학기가 끝날 때까지 복도 벽에 테이프로 붙여두고. 학기가 끝나면 학생들에게 나눠줌.

[학급 달력]
비서팀이 관리함.

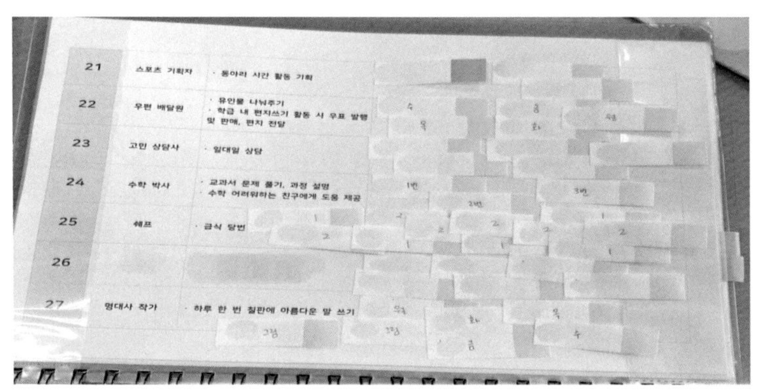

[악보 파일]
악보 파일에 직업 목록을 인쇄하여 끼워 넣고, 모두가 확인할 수 있도록 학급의 창가 자리에 비치함.

[플래그 포스트잇]
언제든 참여 신청이 가능하다는 것이 장점임. 해당 직업에 지원하고 싶은 경우, 교사에게 포스트잇을 받아서 이름을 적고 그 직업 칸에 붙여두면 누가 어떤 직업을 신청했는지 확인하기 편리함.

6학년 직업놀이 교실 환경 및 물품 소개 4

여름축제(여름생일파티)에서
매점을 열 준비를 하는
매점관리사들

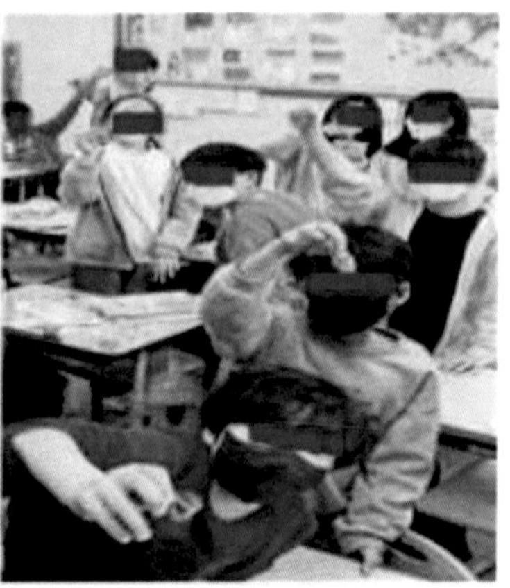

첫 주급(엽전모양격려)을 받고

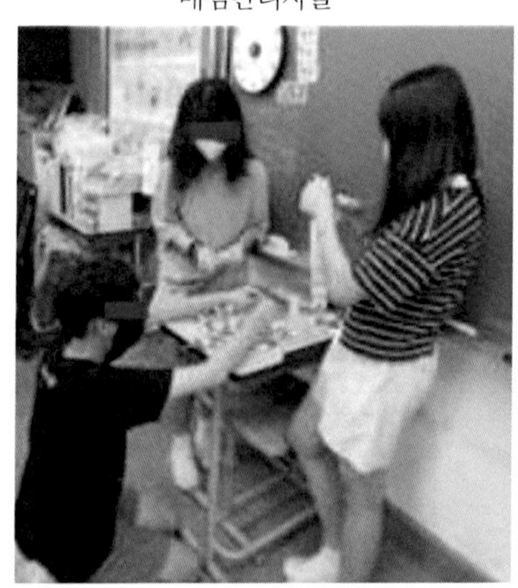

유치원 친구들에게 줄
선물포장을 도와주고 있는
비서팀

꼼꼼히 생활공책을 점검하고
격려를 부여하는 은행원

5학년 직업놀이 교실 환경 및 물품 소개

[교실 측면]
타공판 아래에는
렌트회사 물건들이 있으며 위에는
직업별 서류를 꽂아둘 수 있음.

[교실 뒤편]
교실 뒤쪽에 조성된 놀이공간

[교실 뒷편]
사물함 위에 배치한 만화가의
작품과 뽑기 기계

[교실 창가]
창가에 배치된 식물관리사의 식물들

4학년 직업놀이 교실 환경 및 물품 소개

[교실 측면]
멀티 박스를 이용하여 만든 칭찬함.

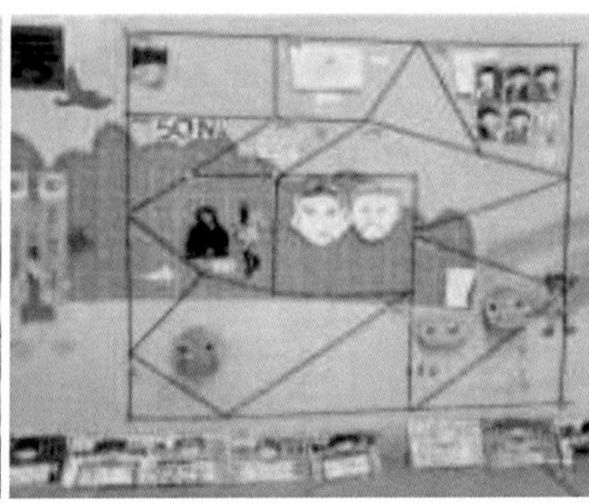

[교실 뒤편]
실과 압정을 이용해 디자이너의
작품을 전시할 개인 공간을 마련함.

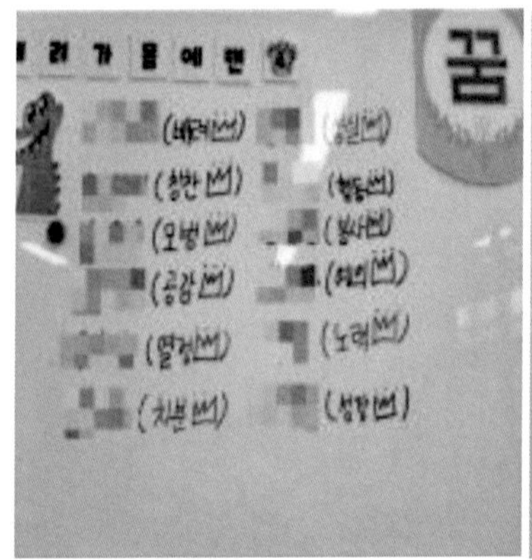

[칠판 활용]
용왕 프로젝트 시 인성 왕들의
이름을 칠판에 적어놓음.

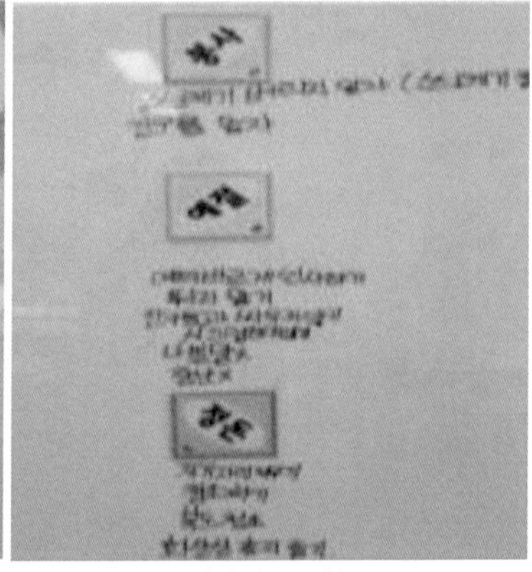

[가치 통장]
가치(덕목) 카드를 활용하여
친구들을 도와준 후
내가 얻은 가치(덕목)을 골라봄.

3학년 직업놀이 교실 환경 및 물품 소개 1

[집게 명찰]
각자 이름표를 만들고 플라스틱으로
된 집게 명찰 속에 넣음.
쉬는 시간마다 명찰을 달고
직업놀이를 시작함.

[직업놀이 센터]
반 뒤편 직업놀이 센터를 설치함.
이곳에 각종 파일과 이름표를 두어
매시간 스스로 정리함.

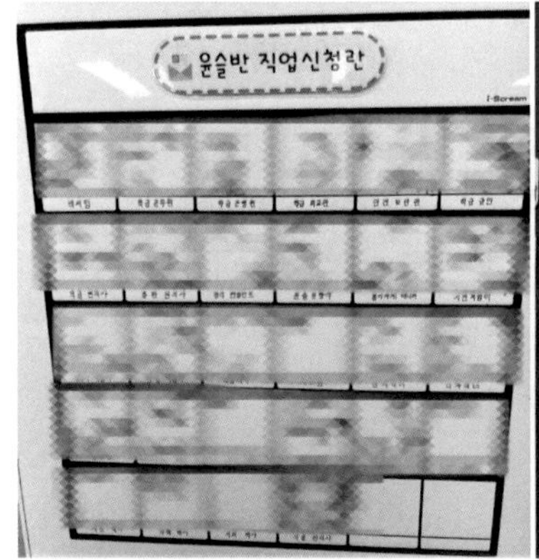

[칠판에 붙인 직업 신청란]
칠판에 직업 신청란을 붙여두고 매일
아침에 직업을 신청하도록 함.
나중에는 직업 신청란을 요일로
나누어 작성하도록 함.

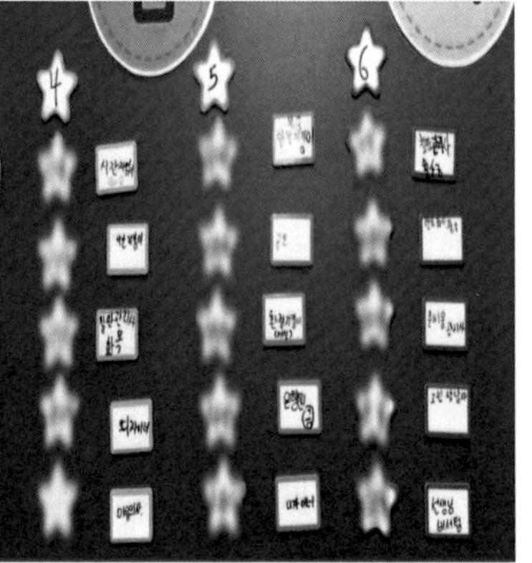

[학생 이름 자석]
이름 옆에 선택한 직업과
해당 요일을 써 확인하도록 함.
다른 친구의 직업은 무엇인지
알아보기 편하게 함.
학생 자리 대로 자석을 배치함.

3학년 직업놀이 교실 환경 및 물품 소개 2

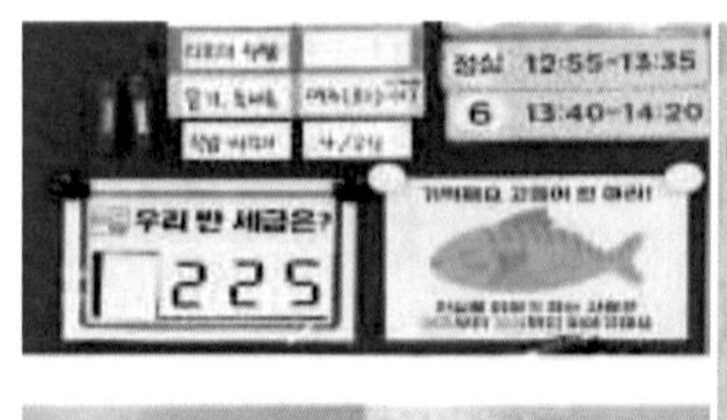

[멀티 넘버링 자석]
국세청에서 판매 수익을 합산하여
판을 넘겨서 숫자를 조정함.

[복도 게시판용]
직업놀이 홍보용으로 이용

[학생 책상 위]
교사가 직업 바꾼 다음 날 아침
시간에 아크릴 꽂이 크기에 맞는
속지를 주면 학생들은 자신의 직업을
소개하고 홍보하는 간판을 제작함.

[헤어디자이너 전용 바구니]
스탠드형 거울, 머리 끈, 다양한
종류의 빗을 준비해 놓음. 고객들이
원하는 스타일에 따라 헤어디자이너가
머리를 묶어줌.

2학년 직업놀이 교실 환경 및 물품 소개 1

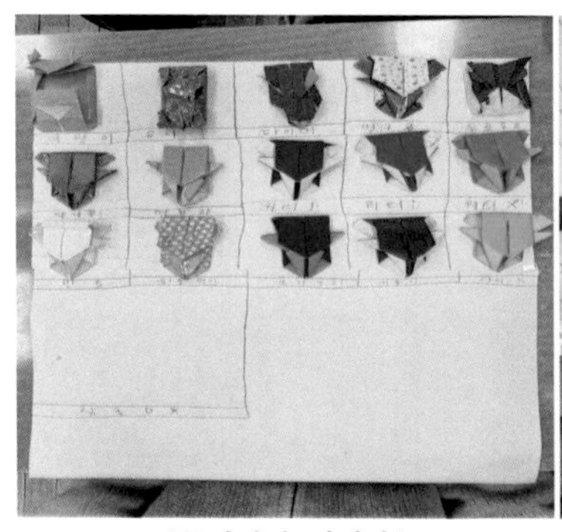

[종이접기 전시판]
종이접기 작품을 만드는 작가인 아이들이 자신의 작품을 전시할 기회를 열어줌.

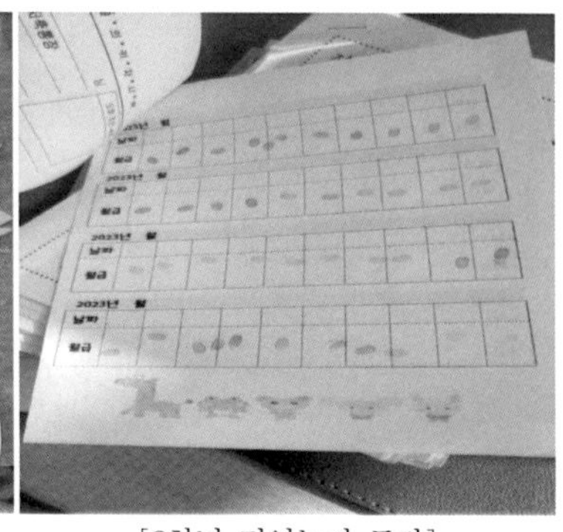

[2학년 직업놀이 통장]
2학년 아이들도 쉽게 사용할 수 있도록 간단한 통장을 활용함.

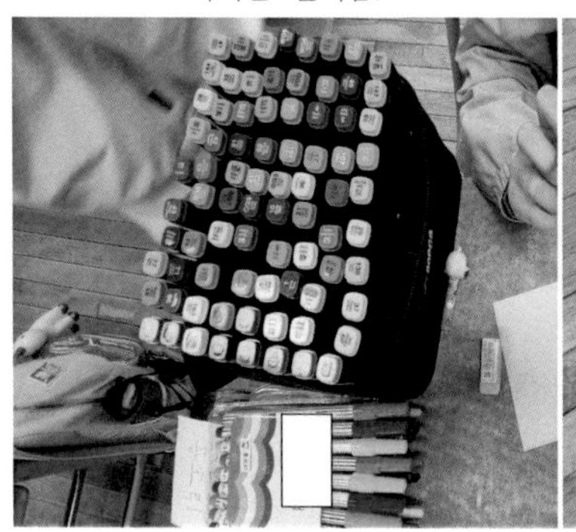

[작가를 위한 색채 도구]
창작 및 작가 활동을 하는 직업놀이를 위해서, 다양한 색채 도구를 준비함.

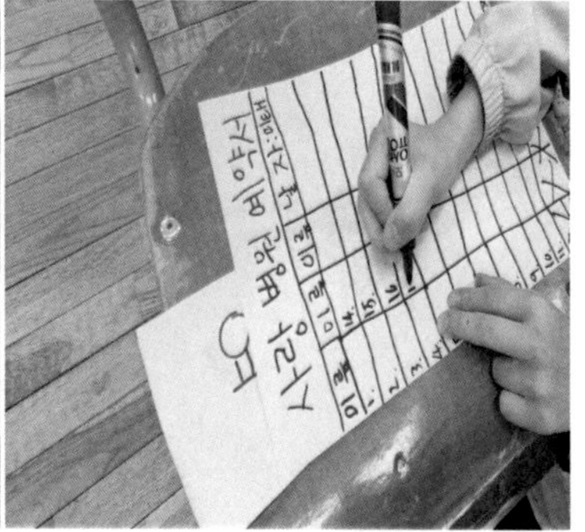

[이면지 활용하기]
이면지는 아이들의 창의력과 상상력, 기획력을 높일 수 있는 최고의 재료임. 교사가 직접 틀을 만들기 보다는 스스로 칸을 만들고 그리면서 생각을 정리하도록 함.

2학년 직업놀이 교실 환경 및 물품 소개 2

[저학년 뽑기놀이 기계]
아이들이 직접 조작해서
놀이 할 수 있는
뽑기 기계를 사용함.

[직업놀이 안내판]
수업 속 직업놀이에서는
활동 시작을 알리는 안내판을 활용함.

[감독 직업놀이]
슬레이트를 활용하면
연극 및 공연 관련 직업놀이에
슬레이트를 활용함.

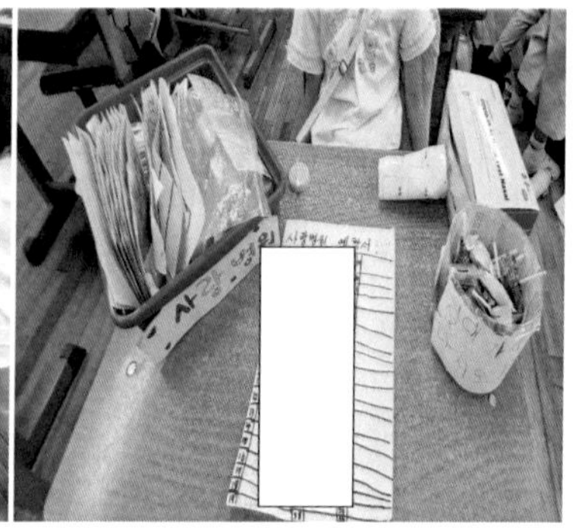

[사랑 병원 & 마음 약국]
병원에서 사용할 수 있는
맛있는 간식을 준비해주면,
꾀병 환자가 줄을 지어 찾아옴.

1학년 직업놀이 교실 환경 및 물품 소개 1

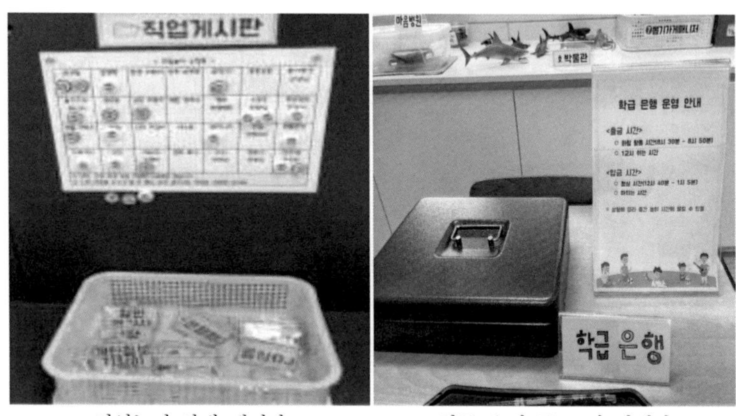

직업놀이 안내 게시판

학급 은행 금고 및 안내판

직업놀이에 필요한 물품 정리 박스를 비치함

1학년 직업놀이 교실 환경 및 물품 소개 2

음악 DJ 음악 신청함

뽑기 가게 매니저 물품함

렌트회사에서 아이들이 직접
업그레이드한 문구점

아이템 포켓(약 달력 이용)

우리 반에 적용해 본다면 어떤 모습일까요?

꿈과 자존감을 키우는 행복한 학급 운영

PART 4

NEW 직업 소개

New1. 탐조가

탐조가는 새를 좋아하는 아이들이 함께 새를 관찰하고 정보를 나누는 직업놀이입니다. 탐조가는 저희 반 학생이 만든 직업놀이이며, 자연에 관심이 많은 아이, 환경의 중요성을 느끼지 못하는 아이에게 추천한다고 합니다. 탐조가는 친구들에게 새에 관련된 정보를 공유하며 즐거움을 느낍니다.

준비물 망원경, 카메라(스마트폰), 수첩, 조류도감

놀이 방법

1. 탐조가는 혼자 또는 여럿이 모여 방과 후 탐조할 곳을 계획합니다.
2. 방과 후에 필요한 준비물(망원경, 카메라, 수첩 등)을 챙겨 탐조할 곳으로 이동합니다.
3. 새를 관찰하고 다양한 각도에서 사진을 촬영합니다.
4. 새에 관한 정보를 담은 포스터나 잡지를 제작하여 교실에 게시합니다. 관심을 보이는 친구들에게 설명도 해줍니다.
5. 평소 탐조가들은 새 관련 도감을 읽으며 이야기를 나누고 정보를 교환합니다.

-교사는 탐조가가 만들어 온 포스터나 잡지를 게시할 공간을 제공합니다. 필요하다면 학생이 만들어 온 포스터를 컬러프린트로 출력해 줄 수도 있습니다. 새뿐만 아니라 특정 분야에 깊이 빠져있는 학생이 있다면 탐조가같이 '덕업일치' 직업을 추천해 주세요.

-아래 사진은 '대한꼬꼬협회'에서 만든 저어새 홍보 포스터, 탐조가들이 읽은 책입니다.

New2. 시인

시인은 세상에 대한 호기심과 관심, 그리고 관찰력을 바탕으로, 자신만의 언어로 세상을 창작하는 직업놀이입니다. 평소 글쓰기를 좋아하는 아이, 엉뚱한 생각 하기를 좋아하는 아이, 호기심이 많은 아이가 있다면, 시인 직업놀이를 통해서, 아이의 잠재된 상상력과 창의력을 끌어낼 수 있답니다. 나만의 시를 창작하고, 전시하고 발표하는 활동을 통해서, 글쓰기에 대한 단단한 자신감을 키워줄 수 있으며, 아이들 저마다의 세상과 우주를 만들도록 도와줄 수 있는 시인 직업놀이를 운영해 보시기를 추천합니다.

준비물 클래스메이트 나만의 책 만들기 세트 (책 만들기 스티커가 들어있음), 필기구 등

놀이 방법

1. 좋아하는 것을 이야기하는 시간을 통해, 자신이 좋아하는 것을 발견해 봅니다.
2. 좋아하는 것을 떠올리며, 나만의 동시 주제를 생각해 봅니다.
3. 좋아하는 것을 돋보기로 보는 것처럼, 자세히 써보는 연습을 해봅니다.
4. 창작한 시를 친구들에게 소개하며, 서로의 시에 관한 이야기를 나누어 봅니다.

-매일 경험하는 평범한 일상에 자신의 마음을 담아서 시를 써보는 시간을 가져봅니다. 평범한 보통의 일들이 시의 주제가 될 수 있다는 것을 안내해 줍니다.
-아이들이 평소에 품고 있던 상상이나 호기심을 다채로운 질문을 통해 자연스럽게 꺼내주어, 엉뚱한 상상까지 모두 시가 될 수 있다는 것을 가르쳐줍니다.
-클래스메이트 나만의 책만들기 세트를 활용하면, 바코드, 제목 등 책 꾸미기 스티커가 들어있어서, 작품을 돋보이게 해주며, 책의 완성도를 높여줄 수 있습니다.
-아래 사진은 시인 직업인 아이들이 직접 쓴 동시집입니다.

New3. 헤어디자이너

헤어디자이너는 친구들의 머리 모양을 멋지게 만들어 주는 직업놀이입니다. 학급에서 새로운 친구와 소통하는 데 어려움을 겪는 아이, 수줍음이 많은 아이, 자신감이 부족한 아이가 있다면, 놀이 과정에서 자연스럽게 대화를 나누는 기회를 열어주어 친구와 친밀감과 유대감을 쌓을 수 있습니다.. 누군가 나의 머리카락을 정성스럽게 빗겨주고, 만져준다는 건, 매우 기분이 좋고 설레는 일이기도 합니다.

준비물 머리핀, 머리끈, 빗, 헤어에센스 등

놀이 방법

1. 다양한 헤어스타일이 담긴 스타일북을 만들어 봅니다.
2. 예약제를 통해서, 신청을 받습니다.
3. 쉬는 시간, 점심 쉬는 시간 등을 활용해서, 친구들의 헤어스타일을 멋지게 바꿔 줍니다.

-저학년에 헤어디자이너 직업놀이를 운영할 때는 아이들이 직접 머리를 묶고 손질하는 데 어려움이 있습니다. 따라서, 머리를 예쁘게 잘 만지는 재주나 능력이 아니라, 교우 관계와 아이의 성격 등을 고려하여 운영하는 것을 추천합니다
-안전을 위하여 열을 사용한 도구, 날카로운 위험한 도구는 사용하지 않도록 하는 것이 좋습니다.
-교사는 헤어디자이너가 해준 헤어스타일에 대해서 아이들이 긍정적으로 반응할 수 있는 분위기를 만들어 주는 것이 중요합니다.
-저학년의 아이들은 빗으로 머리 빗질해 주기 활동부터 시작하는 것을 추천합니다.
-고학년 아이들의 경우, 다양한 헤어스타일에 도전할 수 있습니다. 필요한 도구를 학급 운영비로 마련해주면 좋습니다.
-저희 반은 예전에 제작해 둔 리본 머리핀과 고무줄을 많이 활용했습니다. 머리핀을 구매하지 않고 헤어디자이너 혹은 디자이너들이 제작해 줘도 좋을 듯합니다. 구매하는 것보다 제작이 더 저렴하고, 제작 방법도 어렵지 않습니다.
-아래 사진은 헤어디자이너 용품들과 스타일 북, 실제 활동한 모습입니다.

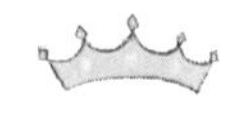

<저학년 헤어디자이너 활동 모습>

<고학년 헤어디자이너 활동 모습>

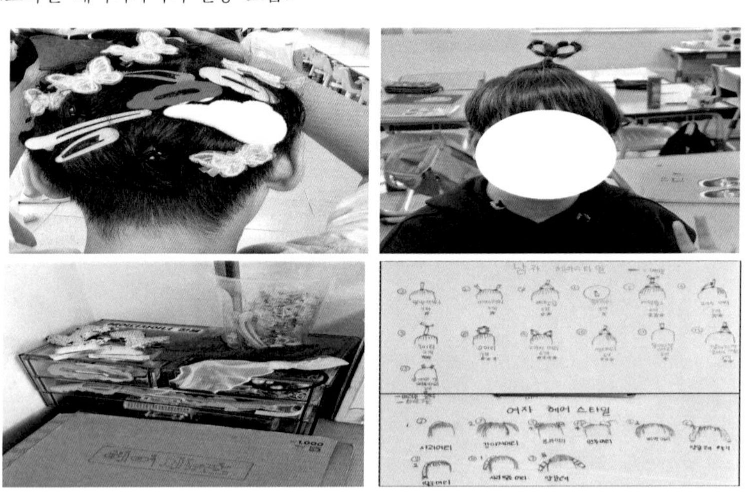

New4. 놀이 연구가

놀이 연구가는 학급 친구들이 즐길 수 있는 새롭고 재미있는, 다양한 놀이를 기획하는 직업놀이입니다. 학급에서 골똘히 생각하기를 좋아하는 아이, 아이디어 내기를 좋아하는 아이, 놀이를 좋아하는 아이가 있다면, 반 친구들이 행복한 놀이를 연구하는 과정을 통해서, 교우 관계를 더욱 돈독하게 만드는 기회를 열어줄 수 있답니다.

준비물 놀이를 연구하는 과정을 기록할 수 있는 공책, 펜 등

놀이 방법

1. 저마다의 아이디어를 내어놓고, 놀이의 장단점 등을 분석하며 토의합니다.
2. 아이들의 선택권과 주도성을 토대로, 우리 반만의 놀이를 기획하도록 도와줍니다.
3. 아이들이 창조한 놀이를 지지하고 격려를 보내줍니다.
4. 다음 기회에도, 새로운 놀이를 연구하고 창조하는 기회에 도전해 봅니다.

-아이들은 판서하기를 좋아합니다. 놀이 연구 과정을 친구들과 토론하며, 판서를 할 수 있게 해주면 좋습니다.
-놀이에 필요한 준비물과 재료는 아이들이 사비로 구매하지 않도록 합니다. 학교에서 활용할 수 있는 재료들을 활용할 수 있도록 안내해 줍니다.
-교사는 아이들이 기획 및 연구한 놀이 활동 중에 발생할 수 있는 안전상의 문제, 교우 관계와 관련된 문제 등에 관해서는 교사가 사전에 자세히 안내하고 도와줍니다.
-아래 사진은 놀이 연구가인 아이들이 직접 놀이를 기획하고 준비하며, 활동하는 모습입니다.

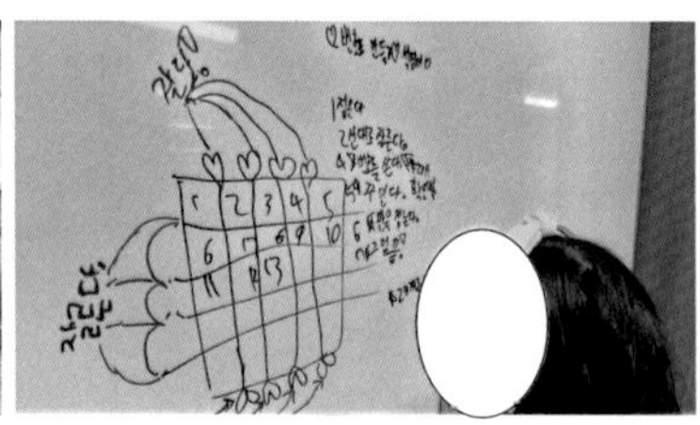

New5. 명대사 작가

명대사 작가는 매일 아침 칠판에 자신이 조사한 또는 만든 문구 한 줄을 적는 직업놀이입니다. 교실의 아침 분위기를 긍정적인 에너지로 환기하는 데 도움을 주는 활동입니다. 친구들 앞에서 발표하는 데 어려움을 겪는 아이, 말로 자기 생각을 표현하는 것을 주저하는 아이가 있을 때, 칠판에 판서를 통해서 표현하는 과정을 연습하도록 도와줄 수 있습니다.

준비물 색 보드마카, (필요시) 미니 화이트보드 등

놀이 방법

1. 매일 아침 칠판에 명대사 한 줄을 적습니다. (응원, 우정, 사랑, 시간 관리 등 정해진 것은 없습니다.)
2. 그림을 담당한 학생이 그 대사에 어울리는 그림을 그립니다.
3. 반 친구들과 함께 명대사를 읽어보는 것도 좋습니다.

- 매일 명대사를 새로 적어야 하므로, 칠판 한 곳에 공간을 마련하거나 미니 화이트보드를 준비하는 것을 추천합니다. 또, 그림을 그릴 때 쓰도록 다양한 색의 보드마카도 가능하면 꼭 준비해주세요.
- 아이가 정성으로 쓴 명대사를 허락 없이 지우거나, 그 위에 낙서하는 일이 생기지 않도록, 주의사항을 반 전체에게 안내해 줍니다.
- 아래 사진은 명대사 작가가 활동한 모습입니다.

New6. 간판 디자이너

간판 디자이너는 가게의 특성에 맞게 간판을 만드는 활동을 합니다. 교실 속 직업놀이에서 간판 디자이너는 말로 소통하는 것이 어려운 아이, 수줍음이 많은 아이, 글쓰기가 그림 그리기를 좋아하는 아이에게 추천합니다. 그 이유는, 간판 디자이너 직업놀이는 말이 서툴고 어려운 아이라도, 그림과 글로 편안하게 소통할 수 있도록 도와줄 수 있기 때문입니다. 교실 속 직업놀이에서 필요한 간판을 의뢰하면, 간판 디자이너가 자신만의 감각으로 직접 간판을 제작해 줍니다.

준비물 종이, 색연필, 사인펜, 가위 등

놀이 방법

1. 간판이 필요한 친구들에게 주문을 받습니다.
2. 주제 및 목적에 따른 간판을 디자인하여 만들어 줍니다.
3. 제작한 간판을 주문한 친구에게 전달합니다.
4. 간판을 받은 사람은 제작해 준 간판 디자이너에게 "고마워"라고 마음을 표현하도록 지도합니다.
5. 제작한 간판은 잘 보이는 곳에 세워두고, 사용합니다.

-저학년의 경우, 교사가 삼각기둥 간판 접기 방법을 차근차근 알려주는 것이 좋습니다.
-간판 주문은 예약제로 진행을 합니다. 만약, 한국어로 의사소통이 어려운 아이가 있다면, 주문서 등의 양식을 만들어서 활동을 도와줍니다.
-아래 사진은 간판 디자이너인 아이가 직접 간판을 제작하고, 사용하는 모습입니다.

New7. 미니어처 작가

미니어처 작가 직업놀이는 만들기 활동을 좋아하는 아이들에게 추천하는 직업놀이입니다. 미술 시간, 통합 교과 수업 등에서 사용하고 남은 고무찰흙이나 천사점토, 클레이 등을 사용해서, 주제에 맞는 다양한 작품 활동을 합니다. 말하기 활동에 자신감이 부족한 아이 중, 손으로 무언가를 창작하는 활동을 좋아하는 아이가 있다면, 미니어처 작가 활동을 통해서, 자기 표현력을 높이고, 내면의 자신감을 키워줄 수 있습니다.

준비물 수업 후 남은 재료, 만들기 도구 등

놀이 방법

1. 수업 시간에 사용하고 남은 재료를 모아둡니다
2. 주제를 정하고, 그에 맞는 작품을 제작해 봅니다.
3. 만든 작품을 전시 및 감상하는 활동으로 확장해 봅니다.

-수업 상황에 따라서 남는 재료와 색의 종류가 달라지기 때문에 작품의 주제도 달라집니다.
-남은 재료를 버리지 않고, 새로운 작품을 창조하는 활동으로 연결함으로써, 아이들이 쓰레기를 줄이는 일, 리사이클링 활동에도 관심을 두도록 지도합니다.
-자신감이 부족한 아이가 미니어처 작가 직업놀이에 참여하는 경우, 작품 전시 활동을 통해서 다른 아이들이 관심을 갖고, 격려와 지지를 보내줄 기회를 만들어 줍니다. 친구들의 응원에 힘입어, 아이 내면의 자존감이 자라날 테니까요!
-저학년 아이들의 경우, 이쑤시개 등의 재료를 사용할 때는, 안전 지도가 필요합니다. 아래 사진은 수업 후 남은 재료를 활용해서, 2학년 미니어처 작가 직업인 아이들이 만든 분식 세트와 계란 초밥 예시 작품입니다.

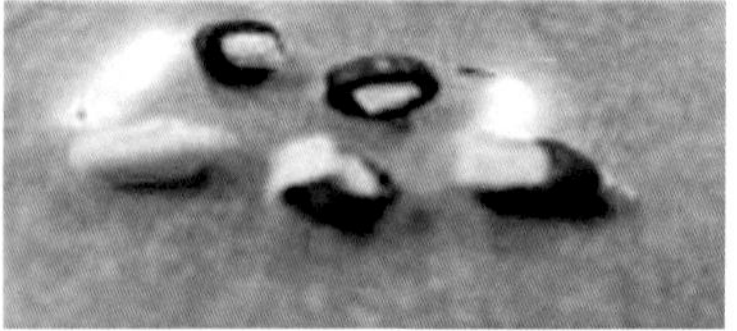

New8. 검사회사

교실에서 검사자는 교사의 역할입니다. 그렇기에 검사를 담당하는 아이는 어깨가 으쓱해지며, 마음속 자신감을 얻을 수가 있는데요. 학급에서 친구들 사이에서 치이는 아이, 자신감이 부족한 아이가 있다면, 검사자 직업놀이를 통해서, 교우 관계 속에서 자기 목소리를 내도록 도와줄 수 있습니다.

준비물 다양한 도장과 스탬프 등

놀이 방법

1. 알림장을 다 쓰거나 수익을 다 풀면 선생님이 "검사자들 활동해주세요."라고 안내를 해줍니다.
2. 검사자들은 여러 가지 도장 중 자기가 찍고 싶은 도장을 고릅니다.
3. 자기가 맡은 분단 친구들의 알림장, 수학 익힘책을 검사하고 도장을 찍어줍니다.

-학습과 관련해서 중요한 확인은 교사가 해야 합니다. 그렇기에, 아이들이 확인해도 무리가 없는 활동 범주 안에서, 도장을 찍는 기회를 열어줍니다.
-아이들이 자신이 좋아하는 도장을 스스로 선택하게 해주면 좋습니다. 도장이 여러 종류가 있을수록 학생들이 재밌어해서 다양한 도장 종류와 스탬프를 학급 운영비로 준비합니다.
-아래 사진은 교실 여분 책상에 다양한 모양의 도장과 여러 색깔의 잉크 패드를 마련해 모습과 다양한 캐릭터 도장 사진입니다. 사진처럼 책상 위에 도장과 잉크 패드를 두면 검사자들이 직업놀이에 더 재미를 느끼고 열심히 합니다.

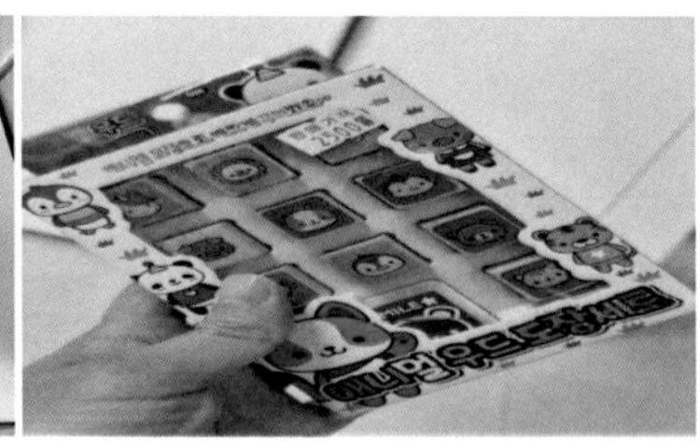

New9. 스마트 전문가

스마트 전문가는 구O의 다양한 앱을 활용하여, 수업에 적용하며, 사용 방법을 친구들에게 소개하는 직업놀이입니다. 구O 앱을 통해 배운 지식과 결과물을 친구들 앞에서 발표하고 공유하는 과정을 통해서, 배움을 확장하는 경험을 할 수 있습니다. 스마트 기기 다루기를 좋아하는 학생, 호기심이 많은 아이에게 추천합니다.

준비물 스마트 기기, 조사한 내용을 정리할 수 있는 공책 등

놀이 방법

1. 구O의 다양한 앱을 활용하여 학습할 수 있는 계획을 세워봅니다.
2. 구O 앱을 활용하여, 조사 및 연구 활동을 해봅니다.
3. 구O 앱을 활용하여 조사한 내용 등 활동 결과물을 정리합니다.
4. 정리한 내용을 친구들에게 공유하고 발표합니다.
5. 구O 앱 사용법을 친구들에게 소개하고, 협동 학습에도 도전해 봅니다.

-태블릿 PC와 TV 화면을 연동하여 활용하면, 더욱 큰 화면으로 생동감 있는 활동을 진행할 수 있습니다.
-구O 앱 중에서 '렌즈' 앱을 활용하면, 저학년 아이들이 주변의 다양한 식물을 조사하는 학습을 할 때, 도움이 됩니다.
-스마트 기기를 사용할 때는, 사용 시간 약속하기, 스마트 기기를 안전하게 다루는 법 등을 사전에 지도하는 것이 중요합니다.
-아래 사진은 구O 전문가인 아이가 수업 중 구O 앱 및 스마트 기기를 활용하여 활동하는 모습입니다.

New10. 촉감놀이 기획자

촉감놀이는 또래 간 상호 작용을 높일 기회이자 아이들의 의사소통 경험이 될 수 있는 활동입니다. 촉감놀이 기획자는 촉감을 느낄 수 있는 다양한 재료들을 활용하여 촉감놀이를 만드는 활동을 합니다. 감각 놀이를 좋아하는 아이, 아이디어 내기를 좋아하는 아이, 호기심이 많은 아이에게 추천합니다. 또한, 학급에서 소극적이고 내성적인 아이들도 촉감놀이를 통해 새로운 친구를 만나도록 도와줄 수 있는 촉감놀이 기획자 활동을 지금부터 소개합니다.

준비물 사포, 솜, 테이프 등 다양한 촉감을 느낄 수 있는 구하기 쉬운 재료들

놀이 방법

1. 내가 하고 싶은 촉감놀이를 생각하고, 놀이 계획을 세워봅니다.
2. 놀이 주제에 맞는 촉감놀이 재료를 준비합니다.
3. 친구들과 함께 촉감놀이를 해보며, 다양한 촉감을 느껴봅니다.

-아이들은 어려서부터 자연스럽게 주변에 보이는 사물을 손으로 만지고 느끼며 촉감을 통해 세상의 정보를 받아들이고, 때로는 스트레스를 해소하는 좋은 수단으로 활용하기도 합니다. 그만큼 촉감은 아이들의 인지 정서 발달과 밀접한 관련이 있는 중요한 감각 중 하나라고 할 수 있습니다.
-아이들이 직접 고른 재료들을 바탕으로 촉감 퀴즈를 준비해 봅니다. '눈 감고 촉감으로만 재료 맞히기', '재료의 느낌을 추리해 보기' 등 자유롭게 퀴즈를 만들어 볼 수 있습니다.

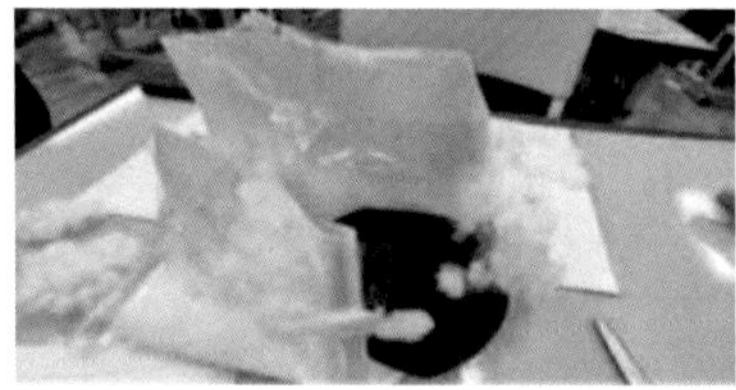

내가 꿈꾸는 교실은?

사랑과 믿음으로 말하고 행동하는 교실!
서로를 배려하고 아껴줄 수 있는 교실!
작은 일에도 감사하고 기쁨을 느끼는 교실!
'스스로'의 힘을 믿고 자신의 성장과
다른 사람의 성장을 함께 이룰 수 있는 자율 교실!
친구들의 허물을 덮어주고 장점을 발견하면
아낌없는 칭찬을 나눌 수 있는 교실!
학급 구성원 모든 사람이
행복함과 안정감을 느끼는 교실!
그리고…
이 모든 것을 가능하게 만들어 주는,
직업놀이로 가득 찬 교실!
제가 꿈꾸는 교실입니다.

-규니샘-

우리 귀한 어린이들이
배운 것을 스스로 실천하는,
나를 사랑하고 남을 존중하는,
몸과 마음이 건강한 사람으로
자라나는 교실이 되길 바랍니다.

-사르르샘-

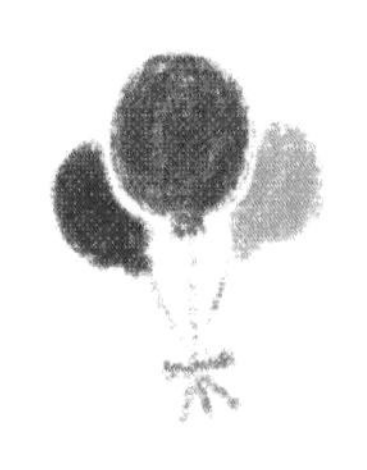

제가 꿈꾸는 교실은
학생들이 주체적이고 적극적이며
소통이 잘 되는 교실입니다.
학생들이 수업 시간에 앉아서 집중하지 못하고
교과서나 책상에 그림을 그리며 정신을 놓거나
시계만 보며 시간 가는 것만 기다리다가
쉬는 시간이 되면 나가서 뛰어놀지 않는 교실,
1인 1역 때문에 서로 이르고 싸우지 않는 교실입니다.
본인이 교실에서 하고 싶은 일,
잘할 수 있는 일을 하며
적극적으로 친구와 교사와 소통하는 교실입니다.

-토모샘-

학생들이 의미 있는 시간을 보내는 교실.
직업놀이를 학급경영에서 쓰게 된 이유도 같습니다.
제가 5학년 때 가르쳤던 학생들을
연임으로 맡게 되었는데, 같은 레퍼토리의 학급경영을 하면
아이들이 지루함을 느낄 것 같았어요.
또, 고학년 정도 되면
몇 년 동안 다닌 학교가 시시하게 느껴질 것 같아
새롭고 참신한 방법을 사용해 보자!
하는 마음으로 쓰게 되었습니다.
저희 학급의 학생들은 설령 공부에 큰 뜻이 없더라도,
학교에서 다양한 것을 경험하며
하루에 하나라도 자신에게 의미 있는 일을 하고
집에 돌아가면 참 좋겠습니다.

-리미샘-

3월이 가장 중요하다는 말은 많이 들어보셨을 것입니다.
'웃어 주지 마라', '최대한 무섭게 해라' 등
선생님의 가치관에 따라 다양한 말들이 오고 갑니다.
저는 화목하고 믿음이 넘치는 교실을 꿈꿉니다.
교사는 학생을 믿고 학생은 스스로와 친구들을 믿고
앞으로 한 발짝씩 나아가는 반이 되면 좋겠습니다.

직업놀이를 통해 즐겁고 따뜻한 분위기는 물론
스스로 문제를 해결하고 화합하며 앞으로 나아갑니다.
모든 교실의 선생님, 아이들이
직업놀이를 하며 행복해지는 교실을 꿈꿉니다.

-희망을 주고픈 수샘-

내일이 기대되는 교실.
학생들이 내일은 무엇을 할지 기대하며
등교할 수 있는 교실.
교사가 내일은 무엇을 할지 설레며
출근할 수 있는 교실.

-토심이샘-

하고 싶고, 하다 보면 되고,
해보니 재미있는
경험을 나누고 격려하고 응원하며
함께 성장하는 교실입니다.

-하다보면언젠간샘-

소심한 아이들도 자신감을 찾을 수 있는 교실,
자신의 흥미를 찾고 자존감을 찾아
미래를 향해 나아갈 수 있게 하는 교실.

-솔바람샘-

함께 성장하는 교실
웃음이 가득한 교실
자존감이 높은 교실
배려심이 있는 교실
이 모든 걸 아우르며 제가 꿈꾸는 교실은
학급 구성원 모두가 행복하고,
새로운 행복을 찾도록 돕는 교실입니다.

-꼬북샘-

자신의 개성을 소중히 여기되
타인의 다양성도 존중하는 교실을 꿈꿉니다.
자신을 소중히 여기는 것만큼
타인도 배려하고 존중한다면
교실뿐만 아니라 앞으로 학생들이 살아갈 사회도
더욱 아름다워지지 않을까요?
직업놀이 안에서 저마다 개성을 발휘하며
개성들이 모여 다양성이 반짝이는 교실이
되었으면 좋겠습니다.

-앙버터샘-

평화롭고 안전한 공간에서
함께 배우는 즐거움을 느끼며
학생들도, 교사도
행복한 교실을 꿈꿉니다.

-바다샘-

학생들이 소속감을 느끼는 교실을 희망합니다.
교실 속의 모든 학생은 소중합니다.
30가지의 다른 재능, 빛깔을 가지고 있습니다.
나의 장점을 살려 작은 일이라도
'우리 반'을 위해 도움을 줄 수 있습니다.
교실 속 작은 사회에서 소속감을 느껴
자신이 소중한 존재임을 알려주고 싶습니다.

-꾸물꾸물쌤-

교실을 이루는 구성요소에는 무엇이 있을까요?
7년 차 교사가 생각하는 교실의 구성요소는 학생, 교사 그리고
교육과정(교육컨텐츠)라고 생각합니다.
교사의 입장에서 꿈꿔본 교실은 계획한 교육과정이 완벽하게 실행되어
학생들이 완전한 배움에 이르는 모습을 보는 것입니다.
그런데 학생의 입장에서
꿈꾸는 교실은 생각해 본 적이 없다는 것을 깨달았습니다.
학생의 입장에서 꿈꾸는 교실은 어떤 교실일까요?
일단 학교가 가고 싶은 장소가 되어야 할 것 같습니다.
어딘가를 가고 싶어 하는 이유는
그 '장소'가 특별해서도 있겠지만
그 장소에 간 '내'가 특별해지기에 가는 것이겠지요.
기본적으로 인간은 인정 욕구를 가지고 태어납니다.
그런데 학교에서는 개인이 인정받기란 쉽지 않습니다.
그러므로 교실 안에서
학생 개개인이 인정을 받는 존재가 되어야 한다고 생각합니다.
나의 가치를 알아봐 주는 공간에 가기를 싫어하는
인간은 없을 테니까요.
따라서 교사로서 저는
학생들이 자신의 가치를 인정받는 교실을 꿈꾸기 시작했습니다.
그러려면 교실은 단순히 교과를 배우는 공간이 되면 안 됩니다.
함께 꿈을 꾸고 성장하며, '어떤 사람이 될지'에 대한
고민을 하는 의미가 부여된 공간이 되어야 합니다.
'교실 속 직업놀이'를 통해 학급에서 학생이 자신의 존재가치를 깨닫고
꿈꾸기 시작했고 저도 꿈꾸는 교실에 한 발짝 다가가게 되었습니다.

-소정샘-

제가 꿈꾸는 교실은
각자의 책임을 다하며
긍정적인 자아를 형성할 수 있는 교실입니다.

매일 같은 풍경, 매일 같은 교실,
매일 반복되는 시간표라도,
그 속에서 스스로가 몰입할 수 있는 것을 찾아
교실 구성원 모두가
긍정적인 자존감을 가지는 교실입니다.

-이스마일샘-

별들이 빛나는 교실을 꿈꿉니다.
별은 다양한 색을 가지고 있다는 것을 아시나요?
그것처럼 아이들이 저마다 다양한 빛을 가진 채
밝게 빛이 났으면 좋겠습니다.
나의 빛이 남들과 다르게 빛난다고.
틀렸다고 생각하지 않았으면 좋겠고,
또
서로의 다름을 인정하고 같이 함께 살아간다면
수억 개의 별이 있는 밤하늘처럼
그렇게 아름다울 수 있다고 알았으면 좋겠습니다.

그렇게 저마다의 빛을 잃지 않은 채
함께 빛나는 반이 되었으면 좋겠습니다.

-인절미샘-

다 같이 일하는 공간입니다.
돈 벌려고 하는 일이 아닌
내 수고가 나 자신을 이롭게 하고,
내 짝에게 도움이 되고 나아가 우리 반 전체를
든든하게 지지하는 일요.

우리 삶과 '직업'을 떼서 생각할 수 있을까요?
우리 아이들의 첫 직업 체험이 뿌듯하고
때로는 행복했던 기억으로 남아
매일 출근하게 되는 어른의 삶을 준비할 때
한 귀퉁이에서 반짝 힘을 발휘하길 감히 바랍니다.

-솔직해봐샘-

함께여서 빛나는 잔물결 위의
'윤슬'과 같은 교실.
나의 반짝임을 알고,
다른 친구의 반짝임을 인정해 주는
따뜻한 교실을 꿈꿉니다.

아이들이 자기 자신을 사랑할 줄 알고,
타인을 사랑할 줄 알고,
우리 공동체를 사랑할 줄 아는
아름다운 사람으로 성장하는데
보탬이 되고 싶습니다.

-세상빛샘-

모든 아이가 주인공이 되어 빛나는 행복한 교실입니다.

아이들 각자 가진 특성과 다양성이 모두 존중되며
그것이 학급 내에서 빛을 발할 수 있는 교실을 꿈꿉니다.
그러기 위해서는 교사가 환경을 마련해주는
동시에 학생들끼리 서로 지지하고 격려하는
학급 분위기를 형성해주면 어떨까요?

아이들 한 명 한 명이
모두 주인공이 되는 그날까지

-새벽잠샘-

저는 우리 반을 생크림반이라고 칭합니다.
그래서 종종 알림장에 학생들을 칭할 때
생크리미들이라는 단어를 쓰기도 합니다.

생크림은 "생각이 크는 숲(林)"의 줄임말입니다.
-원래는 "생각이 크는 그림책" 생크림 그림책 전집 이름입니다.-

여기서 생각은 지적능력, 공감능력, 운동능력, 성찰능력
정도로 생각을 할 수 있겠습니다.
그래서 이러한 생각을 키우기 위한 여러 가지 활동들을
학생들이 끊임없이 루틴화 하여 노력하는 과정에서
이런 저런 경험과 감정을 느끼고 성취하며 자존감을 키우는 교실이
제가 꿈꾸는 교실입니다.

뭐 어려운 말로 쓰고 좀 있어 보이려나 싶어 쓴 글이지만
제 머리 속의 내용이 정리된 느낌입니다.
조금 더 적나라하게 쓴다면 친구들과 싸울 시간도 없이
학생들이 교실에서 무지 바쁘면 좋겠다는 말입니다^^;;
그래야 실력도 쌓고 친구들과 공감대를 형성하며
갈등을 해결하는 과정도 가질 것이며 그런 경험이 쌓이다보면
계획하고 조직하고 실행하는 능력이 쌓이겠지요.

-마중물샘-

단 한 명의 아이도 소외되지 않는
모두가 행복한 교실을 꿈꿉니다.

-직업놀이 수진샘-

함께라서 더 행복해
우리라서 더 감사해
서로서로 늘 사랑해

<교실 속 직업놀이>는
'행복해! 감사해! 사랑해!'를
온 마음으로 느끼며 경험하는
삶으로서의 교육 이야기입니다.

따스함과 다정함, 그리고 즐거움이 쏟아지는 교실 안에서
용기 있는 아이들, 행복한 아이들로의 성장을 이끄는
인성 및 진로 중심의 교육 방법입니다.

아이들의 꿈과 자존감을 키워주고 싶으신 선생님
다툼과 갈등이 아닌, 웃음과 배려가 넘치는 교실을 만들고 싶으신 선생님
따돌림을 예방하고, 단 한 명의 아이도 소외되지 않는
따뜻한 공동체를 만들고 싶으신 선생님
교사의 주도권을 바탕으로, 아이들이 자율적인 힘과 주도성을 발휘하도록
성장을 이끌고 싶으신 선생님께 추천합니다.

<교실 속 직업놀이> 교육 방법이 궁금하다면?

1. 도서

60가지 직업놀이 소개, 구체적인 활동 방법과 *TIP*,
1년의 체계적인 학급 운영 방법을 자세히 담고 있어요!

☞ 도서 「교실 속 직업놀이」, 지식프레임, 2021

2. 연수

공격적인 아이, 소심한 아이 등 아이 유형별 생활지도 방법과
인성교육, 진로교육 방법, 학급 운영의 꿀팁을 가득 담고 있어요!

☞ 아이스크림원격연수원, 30차시 직업놀이 진로교육 직무연수

3. 커뮤니티

전국 선생님(2000명 이상)의 학급 운영 노하우를 배울 수 있어요!
+ 아낌없이 나누는 풍성한 교육 자료까지! 함께 성장할 수 있어요!

☞ 네이버카페, 직업놀이 학급운영

☞ 네이버블로그, 수진샘의 교실 속 직업놀이

4. SNS

유익한 교육 정보와 행복한 교실 이야기
온라인 공간에서 함께 소통할 수 있어요!

☞ 인스타그램

@soojinjobs (수진샘)

@classjobs_08 (직업놀이 연구회 공식계정)

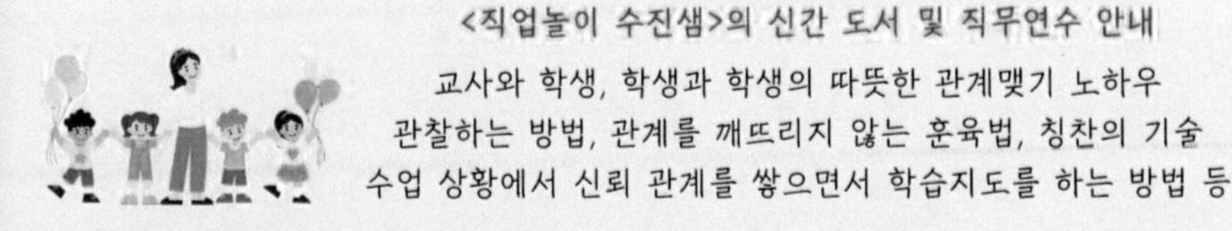

<직업놀이 수진샘>의 신간 도서 및 직무연수 안내

교사와 학생, 학생과 학생의 따뜻한 관계맺기 노하우
관찰하는 방법, 관계를 깨뜨리지 않는 훈육법, 칭찬의 기술
수업 상황에서 신뢰 관계를 쌓으면서 학습지도를 하는 방법 등

☞ 수진샘의 따뜻한 관계맺기 24년 3월 중 30차시 직무연수 오픈예정 (아이스크림원격연수원)

☞ 도서는 24년 2월 중 출간 예정_ 직업놀이 카페 및 SNS를 통해 출간 소식을 알려드립니다.

우리 선생님들의

행복한 교실을 응원합니다.

- 저자 일동 -

모두가 빛나는
직업놀이 교실 이야기

전국 교실 속 직업놀이 실천사례집

Vol. 2 (2023)

- 끝 -

더 반짝이는 이야기로 돌아올게요

모두가 빛나는 직업놀이 교실 이야기

(전국 교실 속 직업놀이 실천사례집 Vol 2.)

발 행 | 2024년 01월 26일

저 자 | 규니샘, 김서윤, 김세빈, 김지영, 김혜정, 마중물샘, 문서연, 문소정, 박나림, 서현경, 솔직해봐샘, 앙버터샘, 이소연, 이수진, 이형재, 임수현, 전솔, 정아림, 정유영, 토모샘, 하다보면언젠간샘.

편 집 | 김서윤, 문서연, 박민주, 서현경, 신우영, 이수진, 전솔, 정아림, 정유영

그 림 | 전솔

디자인 | 서현경, 정아림

책표지 | 정아림

펴낸이 | 한건희

엮은이 | 교실 속 직업놀이 연구회

펴낸곳 | 주식회사 부크크

출판사등록 | 2014.07.15.(제2014-16호)

주 소 | 서울특별시 금천구 가산디지털1로 119 SK트윈타워 A동 305호

전 화 | 1670-8316

이메일 | info@bookk.co.kr

ISBN | 979-11-410-6899-8

www.bookk.co.kr

-본 책에서 사용한 디자인 편집 사이트는 캔바입니다.